COLLECTION F
PAR AL.
ET GAST

TYPO EST DIRIGÉE PAR
PIERRE GRAVELINE

AVEC LA COLLABORATION DE
ROBERT LALIBERTÉ
SIMONE SAUREN
ET JEAN-YVES SOUCY

TYPO bénéficie du soutien de la Société de développement des entreprises culturelles du Québec (SODEC) pour son programme d'édition.

Gouvernement du Québec – Programme de crédit d'impôt pour l'édition de livres – Gestion SODEC.

Nous reconnaissons l'aide financière du gouvernement du Canada par l'entremise du Programme d'aide au développement de l'industrie de l'édition (PADIÉ) pour nos activités d'édition.

Nous remercions le Conseil des Arts du Canada de l'aide accordée à notre programme de publication.

LA PETITE PATRIE

CLAUDE JASMIN

La Petite Patrie

Roman

TYPO

Éditions TYPO
Une division du groupe Ville-Marie Littérature
1010, rue de La Gauchetière Est
Montréal, Québec H2L 2N5
Tél. : (514) 523-1182
Téléc. : (514) 282-7530
Courriel : vlm@sogides.com

Photo de la couverture : Tony Stone Images, Yves Marcoux.

Données de catalogage avant publication (Canada)
Jasmin, Claude, 1930-
La Petite Patrie
Éd. originale : Montréal : La Presse, 1972.
ISBN 2-89295-157-7
I. Titre.
PS8519.A85P37   1999   C843'.54   C99-940448-2
PS9519.A85P37   1999
PQ3919.2.J37P37   1999

DISTRIBUTEURS EXCLUSIFS :

• Pour le Québec, le Canada
et les États-Unis :
LES MESSAGERIES ADP*
955, rue Amherst
Montréal, Québec
H2L 3K4
Tél. : (514) 523-1182
Téléc. : (514) 939-0406
*Filiale de Sogides ltée

• Pour la Suisse :
TRANSAT SA
C. P. 3625, 1211 Genève 3
Tél. : 022 342 77 40
Téléc. : 022 343 46 46
Courriel : transat-diff@slatkine.com

• Pour la Belgique et la France :
Librairie du Québec / DNM
30, rue Gay-Lussac, 75005 Paris
Tél. : 01 43 54 49 02
Téléc. : 01 43 54 39 15
Courriel : liquebec@noos.fr
Site Internet : www.quebec.libriszone.com

Pour en savoir davantage sur nos publications,
visitez notre site : **www.edtypo.com**
Autres sites à visiter : www.edhomme.com • www.edjour.com
www.edvlb.com • www.edhexagone.com • www.edutilis.com

Édition originale :
© Claude Jasmin, *La Petite Patrie,*
Montréal, Éditions La Presse, 1972.

Dépôt légal : 2ᵉ trimestre 1999
Bibliothèque nationale du Québec
Bibliothèque nationale du Canada

On est de son enfance comme on est d'un pays.

ANTOINE DE SAINT-EXUPÉRY

PREMIÈRE PARTIE

« La guerre est déclarée,
la guerre est déclarée ! »

Des voisins s'excitent sur les balcons, dans les cours: «La guerre est déclarée, la guerre est déclarée!» Nous autres, on se demande ce que ça veut dire exactement, la guerre... Y aura-t-il des soldats dans nos rues? Allons-nous entendre le bruit des balles de fusils dans les ruelles et celui des bombes, la nuit? Non, c'est loin, c'est en Europe, dans des pays lointains, si lointains. Si loin du quartier tranquille, de cette cour arrière où l'on joue à s'entre-tuer avec des carabines improvisées, en bois. Ça fait des années que l'on joue à la guerre et ça ne changera pas. Nos morts se relèveront toujours pour rentrer souper ou dîner, ou dormir, en toute sécurité, pendant que maman chantonne *C'est l'Angélus...* en repassant notre linge.

Il y a des nouvelles bien plus graves. La petite Morneau va peut-être mourir de cette maladie étrange, l'anémie pernicieuse, dont parlent nos parents. On dirait que ça ne se peut pas qu'un enfant puisse mourir. On imagine que la mort c'est toujours pour les grands. Une affaire entre adultes, une affaire de vieux, de vieillesse, d'usure. Mais ils le disent tous, la petite Morneau va mourir! Et ce n'est pas tout, il y a aussi mémère qui est toujours malade, qui reste au lit, et qui est venue s'installer à l'étage de la maison. Papa est soucieux. Sa mère va mourir. Cela ne nous dérange pas dans nos jeux, dans notre petite vie quotidienne, mais ça semble un très grave événement pour nos parents. « Elle ne passera pas l'hiver », répète maman. Et quand elle dit cela, papa monte au deuxième pour la visiter, l'air inquiet, le front couvert de plis profonds.

Que se passe-t-il donc ? Il y a des années et des années que plus rien ne nous arrive, que l'on va à l'école en paix, que l'on joue tranquilles sur le trottoir ou dans la ruelle, dans la cour des Dubé, avec les jouets d'André Hubert, avec la machine à vues de René Légaré. Que se passe-t-il donc ?

Venez au monde, les gars !

Il y a dix ans de cela, c'était le mois de novembre 1930 et mon père tirait nerveusement sur sa pipe. La garde-malade, Mlle Desautels, est arrivée en trombe à la maison : maman va m'avoir. Je vais venir au monde. Et je serai un très gros bébé de onze livres. Mes deux sœurs dorment dans leur petit lit. Une a quatre ans et l'autre deux ans. Faites de la place, j'arrive. Moi aussi j'ai droit de vivre. J'aurai droit à un coin dans cette maison de sept pièces, j'aurai droit de téter, de chialer, de crier et de rire. J'aurai droit, bientôt, de me traîner sur le prélart fleuri de la cuisine ou de suivre, avec mon doigt, les motifs imprimés du papier-tenture de la chambre.

Mes futurs camarades de jeux s'amènent aussi, un peu partout dans les maisons voisines. Nous formerons une bande unie, bientôt. Venez au monde les gars, arrivez, arrivez les amis ! Nous ne serons pas seuls. La rue Saint-Denis entendra parler de nous. Entre les cinémas Château et Villeray, il y aura de joyeuses batailles à livrer. Nous irons luncher au parc Jarry tous ensemble, nous irons nager, un jour, au bain Saint-Hubert puant l'eau de Javel. Nous aurons des filles à flirter, à caresser, à aimer. Il y aura des filles qui nous feront des peines de cœur énormes. Venez les gars, venez au monde! Germaine Lefebvre, qui venait de Pointe-Saint-Charles, accouche de son troisième enfant en cinq ans de ménage. Elle s'est mariée avec un petit commerçant descendu de Laval-des-Rapides: son cher Édouard, son rêveur d'Édouard.

Le onze novembre, je ne pleure plus. C'était hier les affres de la naissance. C'était hier l'arrachement, l'horrible sortie des eaux calmes de la matrice tranquille. Je tète goulûment. Attendez un peu que je grossisse, que je grandisse, vous entendrez parler de moi. Je vais vous en faire voir de toutes les couleurs. Préparez les épées, les glaives, les fusils de bois, ça ne sera pas long. Sortez les balles, les gars, on va pousser, on va y arriver. On va se tenir debout sur nos deux jambes. On va d'abord apprendre à ramper et puis à manger comme tout le monde. Sortez les ballons, aiguisez les crayons de couleur, on va s'exprimer à notre tour, pas vrai les amis? On a tous hâte de marcher, de tenir debout, d'apprendre à parler. On y arrive!

CETTE LANIÈRE DE CUIR QUI M'ATTACHE...

Les cloches de l'église Sainte-Cécile sonnent encore une fois. Un enfant de plus. Un de plus, un autre comme celui du baptême d'avant, comme celui du prochain baptême. L'oncle Gustave me tient solidement, en parrain fier et consciencieux. La rue

De Castelnau est bien déserte à cette heure du matin, matin tranquille de novembre 1930, matin frais de novembre. Par les fenêtres de l'école des filles, le petit cortège doit pouvoir entendre la psalmodie de la leçon du matin, chorale disciplinée de quarante voix de fillettes répétant l'orthographe d'un mot nouvellement appris.

Mais tout va bien vite et on ne se souvient que vaguement de ces premières années de la petite enfance. Il n'y a que des sensations. La chaleur ou le froid. Ce qui est tiède et ce qui est doux, ce qui brille et ce qui est sans éclat. Il n'y a rien qui passe inaperçu. Tout est découverte pourtant. Et la mémoire n'a pas retenu toutes ces impressions premières : la chaleur du calorifère dans le couloir ou dans la chambre, le goût de la pomme, celui du raisin bleu pas cher qui remplit les paniers de la saison, la douceur de la peluche sur les fauteuils du salon, la rudesse du petit paillasson sur le balcon d'en avant où une grille de bois ferme toute évasion. La beauté du rouge de mes blocs de bois, l'effet du vent dans mes cheveux, l'amusement de l'eau qui tourne la terre de la cour en pâte boueuse, l'embarras de cette lanière de cuir qui m'attache et de cette corde qui limite mes excursions à un rayon de douze pieds.

Et ces tapes sur mes mains sales, ce sentiment que maman déteste cette boue que j'aime tant voir coller à mes genoux et à mes doigts. Pourquoi ? Dizaines et centaines de « pourquoi » qui m'assaillent. Apprentissage du monde heureux et malheureux selon les normes des grandes personnes qui semblent m'observer à longueur de journée. Guet insolite où l'on me sourit, où l'on me parle doucement, où l'on rit quand je tombe, où l'on fronce les sourcils, où l'on me parle durement soudain. Et je grandis, je grandis de mon côté comme le font mes amis encore inconnus, mes voisins encore ignorés. Mais on y vient, n'est-ce pas les gars ? Attendez encore un peu et nous serons debout et ensemble. Et nous serons deux, et puis trois, et quatre plus tard encore. Car nous poussons ensemble et bientôt, sur le trottoir, nous verrons surgir l'épouvantable machine !

L'infernale mécanique rouge

L'épouvantable machine peut bien être ce monstre à deux têtes, à quatre naseaux fumants dans ce décembre précoce de froidure et de neige. Des clochettes tintent... ce sont celles qui couvrent leurs harnais. Ils viennent vers nous, les muscles du poitrail se bandant et se débandant. Derrière cette énorme monture, nous apparaît un homme, effrayant avec sa casquette à oreilles fourrées, ses énormes mitaines aux pouces raidis. Cet homme au visage rougi, au nez bleu, aux sourcils chargés de frimas, guide son appareil grinçant qui racle la neige du large trottoir de la rue Saint-Denis.

On ne reste pas là, le monstre nous écraserait sans pitié, c'est certain. Un cri d'épouvante et nous voilà juchés sur le perron, les yeux grands ouverts pour regarder passer cet attelage gigantesque de deux chevaux aux yeux cachés par des visières de cuir sombre, aux gueules décorées de glaçons, aux fessiers si hauts, et cette gratte-charrue impitoyable que rien n'arrête avec, grimpé dessus, ce bonhomme, géant rigide qui glousse à intervalles réguliers des ordres bizarres d'une voix caverneuse. Quand l'infernale mécanique rouge est passée, c'est la joie de découvrir le long banc de neige tassée en bordure de la rue Saint-Denis. C'est la fête. Coup d'œil pour vérifier l'horizon de la rue Jean-Talon où rapetisse la bête apocalyptique. La sécurité de nouveau revenue, l'on découvre les vertus d'une petite pelle de tôle émaillée rouge qui va creuser tranchées, couloirs secrets, corridors capricieux. De temps à autre une automobile passe, les tramways font leurs sempiternelles navettes. Les hommes vont et viennent, ne regardent même pas ces petits morveux qui découvrent les ressources de la neige en bancs serrés, le plaisir de l'hiver naissant, la joie qui viendra toujours, désormais, quand l'effrayante gratte de la municipalité aura fini de passer dans son bruit de clochettes. À cause de cela, la prochaine fois, le monstre nous semblera déjà moins horrible. C'est son passage, après les tempêtes, qui nous permettra le jeu très ancien du labyrinthe auquel s'adonnent tous les enfants des villes du monde nordique.

Apprendre est un jeu

J'ai vite découvert qu'il n'y avait pas que maman, son lait et ses soins. Qu'il y a, dans la vie, un autre être vivant, grand format, qui n'est jamais très loin, qui vous regarde, vous observe, qui vous minouche moins, qui vous pomponne moins, mais qui, parfois, vous soulève de terre et ose frotter un menton de papier sablé sur votre joue. C'est papa. Il est là à vous fixer, il se demande ce que vous faites, il veut toujours comprendre et il semble pressé de vous voir devenir une personne utile, qui agit avec bon sens. Il veut que l'on soit, au plus tôt, débrouillard, intelligent, compréhensif. Pour lui, un bébé est une chose bizarre un peu déraisonnable. Papa m'a grimpé sur ses cuisses bien plus fermes que celles de maman et fait des dessins que je dois identifier. Son monde est plus dur, il est moins ouaté. Avec lui, il faut toujours que je donne des résultats, que je fasse preuve de quelque chose de précis, de déterminé. Et l'on joue le jeu, on force ses jeunes méninges, on guette les approbations, on épie les sourires, on quémande les signes de satisfaction. Il cesse de dessiner sur ces vieux sacs de papier brun et décide maintenant de me montrer des signes, des petits signes pour tous les mots que je sais dire. Cela se nomme des lettres et je trouve le « a » bien joli, le « e » comique, le « i » bien cocasse, le « o » un peu bête, le « u » bien solide sur ses deux pattes. On aime apprendre ; on aime apprendre. Voici les chiffres maintenant : ce qui est un et ce qui est deux, le signe pour dire cinq ! C'est un jeu merveilleux pour un enfant de cinq ans, et papa est si content !

L'ÉCOLE : UN MONDE TERRIFIANT

J'apprenais bien. Bien plus vite qu'à l'école. Ainsi, avant les autres, j'en étais très fier, je pouvais aller en classe. Il en fut question durant l'été. Je riais, je disais : « Oui, j'ai hâte », mais quand septembre 1936 s'amena, ce fut une autre paire de manches. Je fondis en larmes dans le grand escalier de pierre de l'école Sainte-Cécile. Maman trichait. Elle ne m'aimait plus. Elle allait, traîtresse insoupçonnée, me laisser ici sans défense, aux mains de ces affreuses bonnes femmes en robe noire, avec leur sinistre crucifix de métal pendu sur leur plate poitrine. Oiseaux noirs funestes! Tout me sembla soudain hostile, étranger: ce tambour de bois en planches grises uniformes et tristes; ces clôtures partout; ces fils de fer tendus autour des petits enfants; cette odeur de bois franc sévère dans la salle de récréation; et ces cris, ceux des habitués qui jouaient dans la cour principale et dans la cour annexe, en face, rue De Gaspé. J'avais peur! J'avais vraiment la frousse. Je m'accrochais aux jupes maternelles et j'en voyais d'autres, ici et là, qui m'imitaient ou que j'imitais. C'était ma deuxième sortie dans le vaste monde. Celle du 10 novembre, la première, avait été moins éprouvante, me semblait-il. Cette fois-ci, je n'étais pas seulement projeté hors du ventre de ma mère, j'étais projeté au beau milieu d'une sorte de cirque farouche: le cirque aux enfants. Oui, ces centaines de garçonnets et de fillettes étaient pour moi un enfer bruyant, énervant, un monde fou, détraqué, et qui allait sans doute se faire mater, dompter par ces affreuses corneilles soutanées. Je me hérissais et je frissonnais d'horreur, mais je sentais bien que j'allais y passer comme les autres, comme mes deux sœurs, Lucille et Marcelle, les cruelles, qui restaient loin, jouant aux osselets, indifférentes, alors qu'elles auraient peut-être pu me faciliter ce délicat passage du petit monde du parterre et du jardin arrière à ce vaste monde portant le nom, si terrifiant encore à mes oreilles, d'« école ».

Ma mère lâcha ma main, était-ce croyable, et je dus suivre une des sœurs de Sainte-Croix qui la tint dans la sienne, cadenas froid, glacé. Elle sonna la cloche et tout le monde, enfin, cessa de crier et de rire. Je fus mis en rang et j'entrai dans cet édifice de briques rouges comme on doit entrer dans un pénitencier, sachant qu'on y va pour « la vie », à perpétuité !

Et le cauchemar se poursuit car cette nouvelle vie, celle d'écolier, multiplie les difficultés. Il faut toujours se souvenir, guetter les repères, ce gros problème des premiers jours. Repérer son rang, la binette de sa religieuse, celle de son voisin, le bon étage, la bonne classe, la bonne case métallique de son vestiaire, le bon pupitre et puis, dehors, la bonne première rue, la bonne deuxième rue. L'enfant examine tout, à la hauteur de ses yeux : ce coin de vitrine, ce poteau de téléphone, tourner à droite, cette boîte aux lettres, tourner à gauche, cette borne-fontaine, aller tout droit.

Et la peur s'installe. Les menaces s'installent. Les interdits nouveaux viennent s'empiler sur les plus familiers : défense de rire, de parler haut, de faire claquer son pupitre, de toucher aux encriers, de s'approcher des fenêtres, de jouer avec les brosses et les craies des deux immenses tableaux d'ardoise. Mais quand la sœur a le dos tourné, on ne peut s'empêcher, soudain, de toucher le métal froid de cette grosse cloche qui sait si bien faire taire, d'un seul coup, ces centaines de gamins et gamines.

Et on n'oubliera plus jamais la silhouette cherchée et enfin trouvée de maman, parmi d'autres mamans poules, qui, à la première récréation, regardait partout, me cherchant aussi de son côté. Je cours vers elle, je tombe, cela ne fait pas mal du tout, je touche enfin la clôture et elle ose me dire : « Pis, as-tu aimé ça ? » Je la regarde, muet. Comment peut-on demander à un prisonnier s'il aime sa prison ? Pour la première fois, je ne comprends pas maman. Elle dit des folies !

La petite « maîtresse »

Mais je ne resterai pas longtemps en « préparatoire », classe aujourd'hui disparue du programme. Les leçons de papa-pressé étaient bonnes puisqu'un petit billet, « à remettre à vos parents », annonce que je vais traverser la rue De Castelnau, que je suis admis à l'école des « vrais » garçons, que je suis déjà « promu » en première année.

Je traverse. Papa est venu présider à ce transfert prématuré. Il est fier d'être responsable de cette mutation. J'ai moins peur. Il n'y a plus d'arrachement et les Clercs de Saint-Viateur me semblent moins sinistres, moins sévères d'aspect que les bonnes sœurs de l'école des filles.

Me voici dans ma nouvelle classe, avec une maîtresse. Elle ressemble à ma tante Jeanne de Laval-des-Rapides, à ma tante Gertrude de Verdun. Je sens que ça va aller. Mlle Lafontaine est toute petite, métallique, comme toute de fil de fer, avec ses cheveux gris, sa robe grise, sa monture de lunettes en métal brillant, son appareil acoustique d'argent luisant, son collier de perles grises, la chaîne dorée de sa montre. Tout, chez elle, me semblait de métal. Jusqu'aux boucles chromées sur ses souliers… Et pourtant, elle n'était que patience et bonté. J'y pense encore parfois, tant d'années après ce séjour dans sa petite classe du rez-de-chaussée, près de la sortie nord.

Elle n'a pas mémoire de ses petits gamins turbulents de 1936, c'est sûr, mais je suis certain que chacun de mes camarades se rappelle, au moins un peu, cette adorable petite personne vive aux yeux si doux, au visage ouvert à tous et en particulier aux professeurs laïcs en tête des rangs, matin, midi et soir, le long du plateau qui servait de théâtre dans la salle de cette école Philippe-Aubert de Gaspé. Mademoiselle Lafontaine, qui devez bien avoir quatre-vingts ans aujourd'hui, je vous salue comme l'on devrait pouvoir saluer toutes nos petites maîtresses d'école des années 30, mal payées, dévouées jusqu'à épuisement dans tant de cas !

COMME CHEZ *HÄNSEL ET GRETEL*

Il y avait une énorme consolation, une magnifique compensation à toutes ces heures de bagne enfantin. Il y avait, en face de l'école, dans une petite maison vieillotte de la rue De Gaspé, le magasin de friandises de « la petite vieille Forgette ». Après dîner, c'était un rituel. Au creux de la main, une ou deux cennes noires, parfois trois les jours fastes, et c'est l'achat minutieux des bonbons que Mme Forgette dépose, un à un, avec un soin infini, au fond du petit cône de papier brun.

Prix de consolation bon marché ? Tous ces sous étaient arrachés péniblement à nos parents toujours récalcitrants. J'allais dans cette petite maison avec une sorte de crainte bizarre. Tout était répression autour de nous. Tout nous était enseigné d'une telle façon !

Tout devait être effort, pénible effort, si bien que la moindre joie nous semblait toujours occasion de péché, au moins véniel. Cette maison sombre, cette vitrine-fenêtre discrète, ces montres, au choix bien varié, étalées scandaleusement, tout ça n'était pas catholique. Cette vieille dame, complice heureuse, n'était-elle pas une sorte de sorcière, d'agent du démon ? On nous répétait à satiété que ces bonbons n'étaient que sujets de ramollissement et agents de carie, de mauvaise digestion, responsables des boutons qui nous poussaient sur le nez ou sur les joues. La « petite vieille Forgette » et ses bonbons n'étaient-ils pas un piège bien camouflé ? Chaque midi, c'était l'affreux conte d'*Hänsel et Gretel* qui se rejouait ! J'étais toujours un peu soulagé de sortir du magasin de la rue De Gaspé. J'enfouissais mon sac damné au fond d'un gousset et je prenais un air détaché, hypocrite, un air de tartufe, de pharisien ; je tâtais le *honey-moon* ou les petits outils de chocolat, mais ce serait pour la récréation de deux heures et demie, ou peut-être pour grignoter en cachette derrière le couvercle levé du pupitre, quand on n'en peut plus de ne pas bien comprendre un grave problème de calcul, ou que l'on devient si tendu de voir le frère Foisy s'époumoner et s'énerver à réexpliquer l'accord du terrible participe passé !

POUR UN CORNET DE FRITES DE PLUS

Aussitôt que ce fut possible, mes sœurs, mes amis du quartier et moi avons appris à traverser notre rue Saint-Denis pleine de trafic. Juste en face de chez moi, il y a le restaurant-épicerie de tit-pit Lafontaine.

On y va pour un pain, une pinte de lait ou de mélasse, une livre de farine de sarrazin pour nos délicieuses galettes, ou bien pour une boîte de macaronis ou une boîte de biscuits à l'érable. On y va aussi, et surtout, pour la grosse vitrine à gauche, en entrant. Le choix est aussi vaste que chez la petite vieille Forgette, mais il y a Mme Lafontaine. Elle est aveugle. Et quand la clochette de la porte d'entrée l'avertit, elle s'amène tout doucement et elle vient vers nous, nous caresse pour deviner qui est là. Elle nous palpe la tête, elle nous tâte les épaules pour savoir notre hauteur et nous n'aimons pas ça! Cela nous gêne, cela nous agace. Elle demande, souriante : « Est-ce Marcelle ? Est-ce Marielle ? Non ? C'est Claude, ou est-ce Raynald ? » On déteste ce manège, alors on se nomme avec empressement et on regarde au fond du salon double pour voir si tit-pit viendra, sinon ce sera bien long pour obtenir deux petites négresses, une paire de babines de gomme rouge, une petite pipe de réglisse et deux boules de « coconotte ».

Et les jours coulent. Octobre vient toujours trop vite. Il annonce l'automne pour de bon. Cette saison morne entre les jeux d'été et les jeux d'hiver. Novembre sera le mois de l'attente la plus longue car la neige n'y sera pas encore. Il fait trop froid pour jouer sur l'herbe. Il pleut souvent en octobre. Il y a de la boue partout, les champs vacants sont si nombreux tout autour. Pendant des mois, on ne pourra plus jouer à certains de nos jeux et on sera privés de plaisirs dont un surtout nous tient particulièrement à cœur, celui-là qui vient une dernière fois...

Non, ne regardez pas pour rien vers la rue Jean-Talon. On ne le voit pas encore, mais on l'entend !

Vous entendez ce petit sifflement? On le sent surtout! Respirez bien. On est fous comme des balais!
Il vient, il vient le cher marchand! Oh! l'odeur bénie
de cette graisse! On a le cœur en fête. Il apparaît
enfin! On le savait bien qu'il allait revenir, au moins
encore une fois, en ce dimanche « frisquet » d'octobre. Voilà! Voilà la chère voiture de frites et son petit
sifflet avertisseur. Molles et mal cuites? Peut-être.
Oui, peut-être « mauvais pour la santé » comme disent les grands et les vieux, mais on s'en fiche. « Un
cornet m'sieur! Cinq sous? Les voilà! » Et on a droit
au sel en masse et au vinaigre en quantité. Ça coule
à travers le sac pointu? Et puis après? C'est si bon.
« Du vrai poison », marmonne le petit père Laroche,
toujours sérieux et pompeux. Et puis après? On vous
dit que c'est un délice, que c'est le paradis de pouvoir
acheter un cornet de frites bien salées, bien vi-
naigrées, d'aller s'asseoir dans un des escaliers en
tire-bouchon de la rue Saint-Denis, et de les manger
lentement, une à une! Ah! si on était riches, on
achèterait la roulotte et le vieux cheval du marchand.
Ce serait le ciel sur la terre! La voiture roule maintenant vers la rue Bélanger. Une chance qu'elle est
déjà loin, on ferait un crime, un vol, pour dénicher
un autre cinq sous et s'acheter un autre cornet grais-
seux de frites indigestes!

« On a du beau blé d'Inde »

À mesure que les années passent, la cour rapetisse. Je l'ai revue, encore une fois, l'autre jour, et
c'est inimaginable. Comment pouvions-nous donc

jouer, si nombreux et si longtemps, dans un si petit espace. Maintenant, l'herbe a pu repousser et c'est rempli d'arbrisseaux divers, cultivés avec ferveur par mon père. Jadis, la terre y était nue et battue comme ciment par nos courses, nos ébats, nos jeux incessants des vacances d'été et des week-ends de l'année scolaire. Une petite porte donnait accès à la ruelle et si nous devions aller y chercher une balle, il ne fallait pas oublier de remettre le gros crochet de fer. Nous étions à l'abri de tout, et nous pouvions, en toute sécurité, regarder passer les marchands du quartier. L'automne nous les amenait nombreux, ces cultivateurs-maraîchers des alentours de la métropole. De loin, ils annonçaient leur venue par une sorte de chanson, de complainte amusante, et quand la voiture était assez proche de notre cour, l'on entonnait, en chœur, grimpés sur les planches de traverse de la clôture, l'hymne traditionnel qui montait dans l'air frais de septembre ou d'octobre : « On a des tomates, de la rhubarbe, des oignons, des radis, du céleri, du beau blé d'Inde », en étirant sur la finale « du beau blé d'Inde », car c'était là le plus abondant produit à écouler. Nous riions et nous nous époumonions à répéter, sur le même air, l'annonce chantée qui vibrait, en écho, sur les hangars, les balcons, les murs de briques multicolores : « On a des tomates, de la rhubarbe, des oignons, des radis, du céleri, des bleuets et – en traînant – du beau blé d'Inde. » On se poussait du coude, le fermier, parfois, souriait à ces imitations moqueuses. Maman sortait de la cour, retrouvant d'autres voisines derrière les voitures, et le jeu cessait. On allait la rejoindre, maman « marchandait » serré, les prix étaient discutés. Nous tirions sur sa robe pour qu'elle achète du raisin bleu en panier, des pêches, des fruits. Mais non, les légumes, moins chers, plus nourrissants et plus utiles pour les soupes et les bouillis, emportaient toujours le morceau.

Ce jour-là, Mme Morneau s'amena, la mine basse, les autres ménagères l'entourèrent : « Comment va Rita, votre petite ? » Elle éclate en sanglots. « Le médecin, bredouille-t-elle, a démissionné. Il ne comprend pas son cas, son mal est étrange. » Nous, nous allons ailleurs, la douleur nous fait un peu peur. On rentre dans nos cours. Le marchand s'éloigne aussi, discret. Les gros sabots de son vieux percheron font des « clap, clap » bruyants sur le ciment de la ruelle. Les femmes encouragent un peu Mme Morneau, les bons conseils se multiplient : « Il lui faudrait la campagne, avez-vous essayé les pilules vitaminées du docteur ixe, pourquoi n'allez-vous pas à Boston chez le fameux zède, ou bien, avez-vous pensé à une neuvaine à Marie-Reine-des-Cœurs, elle est extraordinaire, c'est elle qui a guéri mon petit de son asthme. »

Maman rentre, les bras chargés, le front soucieux. S'il fallait que la maladie frappe ainsi un de ses petits. Quel malheur ! Déjà loin, on peut encore entendre la mélopée du maraîcher qui va bientôt traverser la rue Bélanger : « On a de la rhubarbe, des choux, des carottes, des tomates, des radis, du céleri, « du beau blé d'Inde » ; on a des choux, des patates, de la rhubarbe, des tomates, des carottes, des radis, du céleri, du beau blé d'Inde. »

Et le « clap, clap » du vieux cheval poilu ne s'entend presque plus. Alors, nous sortons de leurs cachettes les radis volés et les morceaux de rhubarbe qui nous font grimacer. « Qu'est-ce qu'elle a donc, la petite Morneau », demande Vincelette ? « On sait pas, est toujours malade, a toujours été faible. » Et puis c'est tout, on mange un oignon cru, un épi de blé d'Inde, c'est un régal, un vrai petit festin, parce qu'on est cachés dans notre cabane de vieux prélarts, parce qu'on est ensemble. On rit d'un rien et puis, quand on a fini de manger, toute la bande sort du repaire en chantant à tue-tête : « On a des tomates, du chou, des radis, du céleri, du beau blé d'Inde. »

Mme Denis secoue sa vadrouille avec fracas sur le bord de la galerie du deuxième, il neige de la poussière, et elle nous écoute chanter en hochant la tête : « Bande de petits saudits fous ! » Elle rentre.

LES VISITEUSES DU DIMANCHE

De l'énorme radio Marconi, dans le boudoir, Charles Trenet chante. « Le dimanche, c'est vrai, les enfants s'ennuient. » Surtout les dimanches d'automne. Le matin, il faut se rendre à la messe obligatoire avec les écoliers de sa classe. En rang, deux par deux. En rangs, depuis la salle de l'école, jusqu'au sous-sol de l'église paroissiale. Dans ce sinistre lieu où l'on installe, bien séparés, les garçons à droite et les filles à gauche. Sous-sol, sous-église, sans les décorations de la vraie église, juste au-dessus, sans musique d'orgue, sans pompes, sans faste. Sous-messe pour des sous-hommes. Juste assez bon et assez beau pour les enfants. Coup de claquoir-signal ferme pour se mettre à genoux, coups de signal pour se relever, pour s'asseoir, coup de signal pour se remettre à

genoux. Surveillance constante: là-bas, les sœurs circulent discrètement, de notre côté, les frères et les
maîtres se lèvent aussi, de temps à autre, et passent le
long des allées, l'œil sévère. Les chapelets sont sortis,
ainsi que nos petits missels torturés de coups rudes,
usés par nos triturages, bourrés d'images pieuses ca-
mouflant des photos de joueurs de hockey ou d'actrices de cinéma. Misérables offices à guets martiaux.
Nous prenions, peu à peu, la messe en horreur. La religion, ainsi, se faisait bien identifier à toute cette éducation du temps où la moindre liberté de mouvement
semblait anarchie et totale décadence.

On sortait de cette messe basse du dimanche en
soupirant bruyamment. Nous avions faim, étant venus
à jeun pour la communion obligatoire, puisque nous
étions obligatoirement sans péché, étant allés à l'obligatoire confession mensuelle. Pauvres dimanches de l'année scolaire, misérable départ d'une belle journée de
congé gâtée par cet exercice de fausse piété commandée.

Il arrivait, certains dimanches, que les tantes
soient invitées à passer l'après-midi à la maison. Ces
visites dominicales étaient une occasion rêvée pour
observer le monde des grands, le monde mystérieux
et bizarre des adultes. Ma tante Alice et ma tante
Lucienne s'amenaient les premières, et puis, c'était
l'arrivée de ma tante Maria, puis celle de ma tante
Gertrude qui partait de loin, de Verdun, pensez donc,
trois tramways pour venir nous voir. La tante Pauline, parfois, participait à ces sortes de réunions de
famille où ma mère, oh! surprise, retrouvait sa
jeunesse, sa belle humeur si rare. Pour nous, la tante
Pauline habitait presque l'Arctique puisqu'elle était
établie à Saint-Donat, au nord du Nord. Elle nous

parlait des fameuses snowmobiles de son pays des Laurentides, et cet engin (elle nous en montrait des photos) nous semblait bien étonnant : le temps de la petite motoneige n'étant pas arrivé.

Le salon, rempli des sœurs de maman, devenait un parloir ahurissant, ça caquetait fort là-dedans. Nous nous cachions dans le couloir ou dans la salle à manger pour écouter ce concert cacophonique des « petites sœurs qui se retrouvaient », l'espace d'un dimanche après-midi.

Les toilettes de ces dames se faisaient détailler : « Ma pauvre fille, c'est ma vieille robe que j'ai arrangée. » Les rires fusaient : « Voyons donc, c'est toujours le même costume vert pomme, je l'ai porté au baptême de ta petite Nicole ! » Les plats de bonbons clairs, l'assiette de carrés de sucre à la crème circulaient. Tante Alice riait si haut qu'on allait s'enfermer dans les toilettes pour tenter de l'imiter, et quand tante Maria prenait sa grosse voix d'aînée pour blâmer la conduite de tante Lucienne, ou condamner une décision de tante Pauline, on avait du mal à se retenir de pouffer de rire.

Tante Pauline et tante Alice fumaient, ce qui nous étonnait pas mal. On observait les volutes grises et bleues rivalisant avec la dentelle des rideaux du salon. Parfois, le ton des conversations montait, cela s'animait fort et des gros mots, soudain, fusaient : « Tu as toujours été une grande écervelée ! » Nous gardions alors un silence de mort. C'était un drôle de combat. Maman gagnerait-elle contre l'une de ses sœurs ? Maman ne pouvait pas perdre... Tante Maria et tante Alice, pour alléger l'atmosphère, faisaient alors dévier la conversation sur des comparaisons entre le collier de l'une et le bracelet de l'autre. Calmée, ma mère appelait Lucille, ma sœur aînée, et c'était la ruée vers la cuisine, vers les liqueurs douces, moment tant attendu.

Maman disait : « Viens Marielle, viens saluer tes tantes, viens, toi aussi, Claude, venez les enfants ! » Il fallait bien y aller. Oh ! l'affreuse torture ! Les sœurs Lefebvre nous examinaient, nous scrutaient, il fallait montrer nos bras ou nos cuisses, nos cicatrices, nos bleus, nos marques. Et les commentaires se multipliaient :

« Mon doux qu'elle a grandi !

– C'est pas croyable comme ton Raynald a engraissé, lui qui était si maigre.

– Tu vois bien que la cicatrice de ta Marielle a disparu, on la remarque même pas.

– C'est drôle comme ses cheveux poussent pas à celle-là, hein ?

– Mange, t'as l'air d'une grande perche, pauvre Marielle, mange. »

Et puis, une tante disait : « Tu sais que mon Yvette est "grande fille" depuis presque un an maintenant ! » Sourire de contentement de la tante. Ma mère jetait un œil accusateur à ma sœur aînée et soupirait : « Eh oui ! la mienne est pas encore "grande fille", pourtant, ça devrait y être, elle a quatorze ans passés. » Et ma sœur était gênée, elle vidait son verre de cream soda et s'en allait cacher sa honte au fond de la cuisine. Ce terme de « grande fille » semblait être un honneur rare, mais l'on sentait bien qu'il s'agissait d'un secret féminin, un de ces secrets du « monde des femmes ». Une fois que l'on nous avait bien soupesés, l'intérêt des « ma tante » revenait à leurs soucis ordinaires. Les comparaisons, « la mienne, elle, est plus forte », « le mien a l'air moins fragile » cessaient. Et, un à un, nous nous retirions de cette arène qui nous fascinait davantage de loin, en terrain neutre. Le caquetage reprenait de plus belle. Nous étions heureux d'entendre soudain notre mère qui riait aux éclats en prononçant « *gee wiss* », ou bien, « Sainte-Marie-Mère-de-Dieu-c'est-y-Dieu-possible ». Tante Alice, qui riait aussi à gorge déployée, s'essuyait les yeux avec son petit mouchoir de soie aux motifs finement brodés, faisant luire les diamants de sa grosse bague de fiançailles. Elles semblaient heureuses, elles se rappelaient des souvenirs du couvent, elles se fournissaient les dernières nouvelles. Parfois, les voix baissaient, baissaient, on ne comprenait plus rien. Il venait d'être question d'un voisin et de sa servante, d'une cousine et d'un homme de rien du tout : « Oh ! oui, ma chère, un petit gigolo »... elles en étaient maintenant aux chuchotements. Ainsi, des mots nouveaux, des mots tabous surgissaient. On se regardait, mal à l'aise d'être espions, d'être des témoins cachés. Ah ! que ce monde des grandes personnes était donc rempli de somptueux mystères, qu'il devait être excitant d'être un adulte à part entière, de tout savoir, de tout comprendre !

Et en vidant le plat de noix, en mangeant les restes du sucre à la crème et du *toffee,* en suçant le fond des verres de liqueur, nous nous prenions à espérer vieillir, vieillir au plus tôt.

TANTE GERTRUDE, JARDINIÈRE SANS DIPLÔME

En ce temps-là, on ne s'étonnait pas de l'absence des « mon oncle ». Le monde des hommes et celui des femmes étaient deux mondes souvent séparés et, parfois, en certaines occasions, fort étanches. On verrait les oncles à Noël, à Pâques peut-être. Les hommes étaient sauvages. Ils détestaient les séances de commérages. Parfois, bien entendu, c'est notre mère qui décidait d'aller « en visite » chez l'une de ses sœurs. Alors, du fond du sud-ouest de Montréal, montait ma tante Gertrude qui, de fait, n'était pas une sœur de maman, mais une « compagne de couvent ». Gertrude n'avait jamais abandonné les petites sœurs Lefebvre. Elle venait donc nous garder, la chère petite, toute petite tante Gertrude. Pas plus grande que ma sœur aînée, plus petite même, elle était la mieux aimée de toutes. C'est qu'elle s'amenait chaque fois, et ce durant des années, avec un grand sac à poignées contenant une dizaine de petits sacs remplis de bonbons aux formes variées.

Ravis, heureux, dès qu'elle arrivait, nous sortions le petit pot de cure-dents et nous nous installions autour de la grande table de la cuisine. Alors, la merveilleuse récréation commençait. Tante Gertrude ouvrait le bal. Elle façonnait le premier modèle, un bonhomme de bonbons ou un petit animal fantaisiste. En peu de temps, en l'imitant et aidés par elle, cinq autres petits bonshommes, ou petits animaux, prenaient forme sur la nappe de toile cirée.

Au bout de deux heures, le merveilleux jeu avait permis l'éclosion d'une étonnante ménagerie, animaux bizarres faits de chocolats divers, de pièces de gelée multicolore, de boules de toutes sortes. Appétissante collection qui finissait par nous énerver et nous impatienter, guettant le signal de tante Gertrude, annonciateur du moment fatidique où nous allions dévorer nos ouvrages. La démolition de ces fragiles constructions nous faisait rire bruyamment. Bien repus, nous avions droit à un sac chacun, pour les restes, petit sac bien garni que nous allions cacher dans notre tiroir de commode, dans une des trois chambres d'enfants.

L'après-midi filait, tante Gertrude nous amenait faire une promenade, l'heure du souper approchait, maman allait revenir de sa visite dominicale chez l'une de ses sœurs, et la tante menue, tante Gertrude, remettait son manteau et son petit chapeau décoré de plumes d'oiseaux exotiques. Sur le balcon d'en avant, nous regardons à peine maman qui est rentrée ; nous saluons et nous embrassons cette petite bonne femme étonnante qui, sans le savoir vraiment, possédait si bien la science, aujourd'hui reconnue, d'amuser, avec pédagogie créatrice, les enfants d'avant les « maternelles publiques », du temps des « jardinières » autodidactes.

Il y a un Chinois dans ma rue

Nous avions peur de tout et de rien. Nous étions élevés comme dans le temps des « villes fermées et emmurées » du Moyen Âge. Le quartier était un village, un monde clos. On y trouvait de tout, les services nécessaires et même les superflus. Aussi, tout ce qui ne nous ressemblait pas était sujet de méfiance. Il fallait être canadien-français-catholique. Il fallait être pauvre ou moyennement à l'aise, être un parent ou un enfant plus ou moins jeune. Malheur à celle ou à celui qui sortait de l'ordinaire des choses de la vie de ce temps-là. Tout était paisible et réglé et les apôtres du moindre dérèglement faisaient mieux de fuir loin, de s'exiler.

Il y avait, à l'ombre du cinéma Château, rue Bélanger, un Chinois. Il était buandier, avec sa boutique plus que modeste, d'un style connu et répandu. Écriteaux rouges aux lettres blanches en anglais et en chinois, petit comptoir avec guichet pratiqué dans une sorte de paravent en broche de poulailler ; derrière, des tablettes soutenant les sacs de linge lavé, repassé, empesé surtout. Quand j'eus six ans, ce fut mon tour de me faire dire : « Va chercher les chemises de papa, chez le Chinois. » Chez le Chinois ! Terreur. Le gros bonhomme aux petits yeux bridés reconnaîtrait-il en moi un des petits polissons moqueurs qui, à l'abri sur un balcon, criaient en chœur : « Tchingne, tchingne ! Tchingne, tchingne ! » Car le Chinois passait parfois devant chez nous avec sa longue tresse derrière la tête, ses drôles de savates aux pieds et son immense poche de linge sale sur le dos, marchant vers son collègue-dépanneur de la rue De Castelnau.

J'entrai avec prudence dans la petite boutique de la rue Bélanger. Il n'y avait rien à dire. Il n'y avait qu'à respirer la bonne odeur de frais, de lessive, d'empois, sans doute chinois. Un talon à remettre, où était griffonné, à l'encre noire, un signe en chinois. Le buandier aux petits yeux ne regardait même pas l'enfant dont la tête dépassait à peine le comptoir. Et l'enfant préférait cela. Tout devait se faire vite et en silence. Le papier au mystérieux signe chinois, le colis et, donné par l'effrayant « étranger », un bonbon, un « clennedak », comme on appelait les papillotes de tire. On craignait même ce petit cadeau. On développait la friandise avec suspicion. Ça avait l'air d'un clennedak catholique ! On le glissait tout de même tout doucement dans la bouche. Le goût aussi était catholique, convenable. C'était un vrai et ordinaire clennedak. Le Chinois s'humanisait soudainement.

On allait même jusqu'à se demander comment il aurait été possible d'entrer plus en contact avec lui, avec sa femme, qui apparaissait parfois furtivement au fond de la blanchisserie ou avec un ou l'autre de ses petits enfants chinois qui surgissaient dans la petite boutique, en sautillant et en riant comme des enfants normaux, comme nous, ma foi !

« GUENILLOU PLEIN D'POUX,
LES OREILLES PLEIN'D'POIL ! »

La buanderie du Chinois et son mystère exotique me rappelle aussi le passage régulier, presque une fois par semaine, d'un autre effrayant personnage de la ruelle : le guenillou. Nous étions envahis d'une joie confuse, mêlée d'appréhension, quand le guenillou, regrattier ambulant, faisait sa ronde à la recherche de ferraille, de vitre, de vieux papiers et de vieux chiffons. Pour nous, il était une sorte de vidangeur privé. Un vidangeur capricieux qui ne fourrait pas n'importe quoi dans sa voiture, qui faisait le difficile devant les portes de cour, et qui refusait toujours, le séraphin, le grippe-sou infernal, le pingre rétif, le marché proposé par nos parents.

Comme pour les maraîchers ambulants, c'est son cri lancinant qui nous annonçait son arrivée au coin de la rue Jean-Talon. Nous interrompions tout de suite notre jeu du jour pour grimper sur la clôture de la cour. Nous imitions aussi cette triste mélopée que le marchand, juif la plupart du temps, ânonnait aux quatre vents : « Eille, des guenilles à vendre ? » traînant sur les syllabes du début et de la

fin. Nous entonnions à tue-tête son « Eille, des guenilles à vendre ? » et nous riions de cette chanson si
courte. Il passait à notre hauteur. Prudents, c'était le
silence et on ne se lassait pas de bien l'examiner, lui
et cette maigre jument aux côtes apparentes, lui et
sa « barouette » chargée de vieux réservoirs souillés,
de sommiers métalliques aux ressorts défrisés, de
piles de journaux jaunis et de paquets de linge sale,
déchiré, usé. Quel spectacle étonnant, pour des
enfants heureux, que cette vision de misère, de sor-
didité, c'était le passage du char de la plus grande
pauvreté. Dérisoire parade de ce chariot solitaire,
de cette picouille maigre à faire peur, de cette charrette aux roues grinçantes, confuse image de la
mort, de ce bonhomme insolite avec son vieux feutre gris cabossé, son gilet de laine troué, son vaste
pantalon de clown, ses souliers aux lacets de ficelle
remplie de nœuds. Ce visage fermé dont la bouche,
mécaniquement, laissait sortir des « eille, des guenilles à vendre », à intervalles très réguliers, nous
sidérait.

Mais une fois qu'il nous avait dépassés, c'étaient
les cris libérateurs de « guenillou plein d'poux, les
oreilles plein'd'poil », méchanceté facile des innocents. Il arriva, une fois, que le « guenillou aux
oreilles pleines de poil » fasse s'arrêter son misérable
attelage, sorte sa tête de sous son grand parasol de
toile rapiécée, brandisse son fouet et décide soudain
de se glisser lourdement hors de sa charrette pour
marcher lentement vers nous. Cris de stupeur. Fuite
éperdue et appels au secours des braves insulteurs de
tantôt. Nous allions, le cœur battant, nous réfugier
au fond des hangars, en tremblant d'effroi.

S'il nous trouvait, une bonne fois? nous étions-nous dit. Mon Dieu, il nous attacherait et nous jetterait dans sa voiture parmi ses vieilleries, il nous bâillonnerait avec ses chiffons sales et il nous conduirait très loin, dans un dépotoir, dans sa cachette, dont on n'avait jamais pu établir la situation géographique tant on imaginait tous les quartiers de Montréal semblablement propres et civilisés.

Si maman, comme cela arrivait lors du ménage d'automne, retenait le chiffonnier, on restait loin. Et on l'admirait de trouver le courage d'aller discuter, de si près, avec cet être bizarre et imposant. Elle l'entraînait dans le hangar ou dans un coin de la cour, lui montrait nos « cochonneries », comme nous disions, et lui, disait : « Vingt-cinq cennes, madame », dans un français cassé. Ma mère osait rétorquer : « Eille là, une minute, tous ces journaux, quatre poches de guenilles et ces trente-six bouteilles ! une piastre ! » Il disait non. Et ma mère osait : « Bon ben, laissez faire, allez-vous-en, il en viendra un autre. » Et il lui offrait alors cinquante sous ! Ma mère, têtue, refusait le *bargain* et il s'en allait en maugréant et en claquant la porte de la cour. On entourait maman, stupéfaits devant cet entêtement. Elle avait tenu son bout. Elle disait : « Tous de vieux pingres. Ils sont plus riches que nous autres. On les connaît ces guenilloux. Ils ont des châteaux dans Westmount. »

Alors, nous regrimpions sur la clôture, survoltés par ces étranges révélations, scandalisés par ce subterfuge, cette mascarade du vieux cheval affamé et de la charrette branlante. Et l'on entonnait de plus belle : « Guenillou plein d'poux, les oreilles plein d'poil, guenillou plein d'poux, les oreilles plein d'poil ! » Il était déjà remonté sur sa petite banquette avant, il s'était remis à l'ombre (ou à l'abri de la pluie, parfois) sous son grand parasol beige et sali et, d'un petit coup de son fouet, avait remis en marche sa sinistre monture et repris son lancinant couplet chanté : « Eille, des gue-nilles à vendre, eille, des guenilles à vendre ? »

Retournant à notre jeu du jour, il nous trottait des images dans la tête : le vieux radin, le soir venu, cachait son attirail dans un luxueux garage, gagnait les appartements de sa fabuleuse demeure, se lavait comme on se démaquille, revêtait ses beaux habits de millionnaire camouflé et fumait un gros cigare, sur sa vaste terrasse devant un grand manoir du riche quar-tier de Westmount. Et on se disait qu'il fallait tout de même un drôle de courage pour revenir, le jour, faire ce métier humiliant. Et l'on se demandait bien quels fous payaient ainsi gros prix pour nos traîneries du fond des hangars. La vie avait de ces secrets éton-nants ! Bientôt, l'on n'entendait presque plus la petite chanson « Eille, des guenilles à vendre ? » On savait qu'il allait alors traverser la rue Bélanger pour aller plus au sud faire ses marchandages serrés. Plus tard, un jour, quand nous serions grands, nous compren-drions mieux certains mystères de cette ville si vaste !

Citrouilles, sorcières et fantômes

L'hiver viendra. Ça va venir. Et ce sera joie vio-lente pour les enfants en même temps que fléau pour les parents, pour les adultes, pour tous ceux qui ne jouent pas, qui ne savent plus jouer.

En attendant la merveilleuse première neige qui nous fera chanter, crier, sauter en l'air de joie folle, il y a toujours novembre. Ce long mois de novembre. Ce lent novembre, mois des Morts. Heureusement, il y a ce premier jour de novembre : la Toussaint. La veille, il y a une fête : celle de l'Halloween !

Soirée qui nous fait avaler le souper en toute hâte. Depuis des jours qu'on y songe. Depuis des jours qu'on examine, aux vitrines de chez Nadeau, les vieux masques de carton moulé avec leurs grandes gueules fendues, leurs lèvres immenses peintes en rouge vif. Faces de clowns surtout, mais aussi visages de terreur, horribles sorcières aux yeux verts, fantastiques monstres aux sourcils épais, aux joues saillantes, aux crânes velus comme singes, ou nus comme squelettes.

Les vêtements usés, qui dormaient au fond d'une caisse du hangar, s'étalent. Nous choisissons notre déguisement dans ce tas de guenilles. Pour les enfants des quartiers modestes, il n'y a pas de fée des étoiles ni autres beaux costumes que l'on achète dans les magasins de l'ouest de Montréal. Il y a ce vieux pantalon que papa revêt quand il peint le plafond de la cuisine ou les murs d'une chambre. Il y a ce veston, aux boutons manquants, dont la doublure pend, derrière. Il y a cette vieille casquette à la palette ondulante. Il y a ce vieux melon bosselé, ce vieux manteau antique, usé à la corde, ces gants aux doigts troués, ces mitaines de laine aux mailles défaites.

Nous voici, Devault, Morneau, Godon, Malbœuf, Dubé, Vincelette, mon petit frère et moi, déguisés en mendiants. Nous voici dehors, le cœur heureux avec, en main, le panier ou le sac que nous allons ouvrir sous le nez des gens chez qui nous irons sonner. Petits quêteurs de six ans, de dix ans. Carnaval burlesque pour marquer le jour de l'Halloween. Dans les fenêtres, clignotent les lueurs des chandelles enfouies dans les citrouilles évidées. Ailleurs, on a accroché aux portes, des squelettes de papier. Et c'est le branle-bas excitant des enfants de tous les quartiers de la ville. Nous essayons, entre deux escaliers, deux perrons, de nous reconnaître les uns les autres. Les cris fusent : « C'est toi, Marie-Reine ? » et « j'aurais jamais pu deviner que c'était toi, Raynald ! » Et, sans cesse, nous tendons la main pour une pomme, une orange, une poignée de pinottes, quelques clennedaks, une petite boîte de gomme Chiclet verte, rouge, bleue ou jaune. Jaune, ma couleur préférée !

Les trottoirs s'ornent de tous ces petits bouffons de la misère exposée. Étrange spectacle que ce grouillant petit monde, aux défroques assez semblables, qui va et vient dans les allées des maisons, qui grimpe dans les célèbres escaliers en tire-bouchon de la rue Saint-Denis. Nous flottons, en marchant, ma foi.

Certains voisins nous accueillent avec plaisir, d'autres ne daignent même pas répondre, quelques-uns ouvrent et restent de glace, froids, dédaigneux, se débarrassant de nous avec impatience. Chez Mme Lafleur (fleuriste, croyez-le ou non), c'est un petit cri feint pour chaque visiteur et une large poignée de sous noirs qui dévalent. Chez les Devault, on n'ouvre pas et tout est noir. Chez le notaire Poirier c'est, pour chacun, de la réglisse noire. Chez la comédienne, Mlle Thisdale, c'est de la gomme balloune, comme toujours. Chaque année, chaque dernier jour d'octobre, chez les Dubé, c'est la retenue, il faut chanter, déclamer un petit compliment, faire valoir ses talents. C'est la torture suprême pour les timides. C'est le bonheur suprême pour les jeunes cabotins. Moi, je n'ose même pas sonner, je rougirais jusqu'aux oreilles de devoir chanter *Auprès de ma blonde*, ou d'avoir à réciter La Cigale et la Fourmi. Chez Mme Cormier, c'est noir et apeurant. Elle nous reçoit dans une de ses robes de nuit vaporeuses. On n'ose pas trop approcher. Elle nous examine. Elle ne dit rien. Pauvre Mme Cormier, elle doit mêler ses fantômes à elle aux pauvres fantômes de quatre sous que nous sommes. Elle éclate de rire, et quand on lui dit le fatidique « Charité, s'il vous plaît, madame », elle part chercher des biscuits, des sacs de thé, du sucre en cubes. Nous regardons ces drôles de friandises en haussant les épaules.

Continuons vers le sud. Stop chez Mme Denis et sa fille Laurette. Mme Denis pousse des cris, rit très haut, fait appel aux voisins, est toujours touchée par chacun des petits colporteurs masqués. Elle tente de deviner qui se cache sous chaque déguisement. C'est bien long, hélas, pour un pauvre petit *jelly bean*. Chez le Dr Lemire, silence, noirceur et absence feinte. Chez Mme Bégin, encore des cris éperdus, appels au mari pour qu'il vienne constater la perfection de chaque accoutrement et, enfin, une pomme à chacun. On préfère les bonbons ! Les escaliers résonnent de tous ces pas, ces courses, ces dévalements pressés, parfois frénétiques. Il y a tant de portes et il faut rentrer dès huit heures et demie, a sommé maman, l'index en l'air.

Les filles retroussent leurs robes longues qui se déchirent, elles ont le rouge aux lèvres qui fond, et se plaignent maintenant de devoir tant marcher pour si peu de friandises. Au bout d'une heure, la plupart des masques sont retirés, il fait trop chaud. Nous osons flirter, c'est plus facile qu'en temps normal, c'est moins gênant, nous nous sentons moins ridicules ; ne sommes-nous pas tous membres d'une même vaste et unique communauté loufoque. Ce gros club d'enfants, ce club d'un soir favorise déjà de brèves idylles.

On a perdu Vincelette de vue, on a lâché Dubé qui était trop mal déguisé et nuisait aux générosités offertes. Nous voici chez les Cardinal, on y est sérieux et graves, la mère du grand Jean-Guy nous remet des sacs de papier brun. On aime ce mystère. On a hâte de rentrer pour ouvrir cette sorte d'offrande-surprise. On grimpe chez les Kouri, on rigole, ils vont bien nous offrir, ces Syriens, des olives, des cornichons ou des raisins secs de Corinthe. On va chez les Laroche, chez les Bédard où il y a des têtes de chevreuils morts ! Chez les Carrière. On hésite chez M. Turcotte qui a ses salons mortuaires au premier étage, et ce n'est pas l'endroit pour afficher nos allures de fantômes et de revenants, car un des costumes les plus fréquents est bien celui qui est fait d'un simple drap de lit, blanc comme la mort, spectral. On va chez les Panaccio et l'on craint d'y recevoir des poignées de macaronis ou des tranches de piment fort. On fait nos farces faciles, on use des clichés les plus gros. Quelques vagabonds, ivrognes connus du coin de la rue, viennent, heureux, se mêler à nos rangs, contents de la vague ressemblance. On se moque d'eux de plus belle, on joue les « gars paquetés », et les gars paquetés rient de nos simulacres et de nos parodies. L'enfant est roi, ce soir !

La nuit est belle. C'est une veillée de grâce. Nos sacs ou nos paniers deviennent lourds. Drôle de manne. On en aura pour des jours et des jours, pense-t-on déjà, à nous gaver de toutes ces friandises. On s'arrête, de part et d'autre, on compare ses gains, on s'encourage, on se moque. La petite Morneau, qui est toujours malade, a été installée derrière sa fenêtre et elle sourit faiblement de nous voir défiler, bruyants, heureux, insouciants, inconscients de sa totale incapacité à se joindre à nous. Pourtant, elle est heureuse de notre bonheur d'un soir.

On va chez les Lanthier. Quelle générosité ! On y reçoit une grosse poignée de sous noirs, mais aussi des blancs. Pensez donc, des cinq sous d'argent. C'est la fortune. On rêve. On pourra s'acheter le gros « gonne » qui peut tirer tout un rouleau de pétards ou, peut-être, les patins usagés de bonne qualité ou, encore, on rêve, la voiturette avec des pneus si épais ou le traîneau avec des lames de fer si hautes. On va chez les Morneau, c'est la place pour les pinottes en écales. On va chez M. Matte, et si ses trois filles n'ont pas le droit de parader avec nous, il reste qu'elles viennent nous ouvrir, en personne, pour jeter, dans nos vieilles « sacoches », des poignées de bonbons durs.

Tit-Yves s'épuise. André Hubert est rentré, fourbu, les plus jeunes nous ont lâchés. Nous, on continue. On va faire fortune, on a le culot de traverser la rue. De l'autre côté, ça recommence. Il y a les Fortin, et l'espoir de voir le joli visage de Paulette. Elle n'y est pas. Elle doit être camouflée en vilaine chipie édentée. Mon regard creuse ces maquillages outranciers ; où est-elle, la jolie petite Fortin qui a toujours son sourire conquérant, communicatif, séducteur en diable pour une petite fille de onze ans !

Là, on ne va pas sonner, c'est la maison d'un professeur de l'école. On en a peur. S'il allait ouvrir en criant : « Et vos leçons ? Hein ? Et vos devoirs ? » On file. On sonne chez le juge Dupuis ; le grand fils, Paul, amusé, nous toise du haut de ses quinze ans. Il nous jette, superbe comme son père-magistrat, quelques chocolats durs en forme d'étoiles de mer. On va sonner chez les Chapdelaine. Les frères Lebœuf, eux, sont déjà couchés. En silence, on passe chez le voisin en enjambant le garde-fou de fer ornemental. On va chez le Dr Saine, chez les Audet, chez Mme McLaughlin qui « jargouine » en anglais. On ne comprend pas. Elle s'acharne à nous questionner dans cette langue barbare. On gueule : « La charité, si-ou-pla ! » Et nous recevons enfin notre dû. Des bonbons bizarres, des bonbons rares, elle dit : *«English candies, you know.»* Et on accepte, on est bien bons, ces morceaux de *toffee* enveloppés dans des papiers pas familiers à nos yeux. Ah ! ces maudits *blokes,* jamais capables de faire comme tout le monde !

Et on file, plus lourds que jamais. Des voisins, à sec de provisions, éteignent la lumière de leur balcon, c'est un signe. Les cris sont plus rares, les fantômes de la veille de la Toussaint se dispersent. La fête achève. Il reste Mme Laporte, un nom bien québécois, et elle n'est pas portière, comme est fleuriste Mme Lafleur du coin Jean-Talon, et comme est corsetière Mme J.-A. Bourré, ou Mme Lalongé, qui écrit sur l'enseigne de son magasin : « Surveillez l'ouverture, Madame Lalongé s'agrandit ». On sonne chez les Damecour, chez les Henri, chez le pharmacien Martineau, chez la veuve Delorme, chez l'opticien Brière, chez le vétérinaire Leclerc, et c'est déjà fini. Cette soirée de la Toussaint des enfants-gueux s'achève. On rentre à la maison harassés, le vieux manteau ouvert, on a perdu la vieille cravate qui le tenait fermé, on a même perdu le vieux feutre qui appartenait au père de grand-papa Lefebvre. Le masque rabattu sur la poitrine, les vieux souliers trop grands menaçant de nous quitter, on entre fiers et fatigués. Maman nous accueille, le front soucieux : « Vous êtes bien restés tard dans vos quêtages ? » On ouvre alors les sacs, les sacoches à gros fermoir de cuivre, les paniers, et on en répand le contenu sur la table de la cuisine ou sur la *pantray,* à côté. Et c'est pure merveille que ces amas de sucreries variées avec, au fond, cette fortune de sous accumulés, un trésor ! On se défait du reste de nos guenilles, nous revoilà enfin jeunes, en santé, mais dépendants et pauvres. Le temps d'un jeu et nous étions de riches guenilloux en loques. Maman, nous voici redevenus tes enfants soumis. Et elle nous dira tout doucement, heureuse de voir notre joie ramassée : « Maintenant, allez vous coucher, demain l'école, mes trésors. » Pour notre mère, c'est étrange, nous sommes son trésor, nous autres, petits bougres, la morve au nez ! On traîne nos trésors à nous dans notre chambre et on s'endort avec des images de citrouilles, de sorcières et de squelettes.

Nous vendons de l'herbe et des boutons !

Après celui de la rue Sherbrooke et celui de l'avenue du Mont-Royal, mon père a vendu son magasin de la rue Saint-Hubert. Ça ne marche plus bien fort les magasins de cadeaux exotiques, importations du Japon et de la Chine de bien avant Mao. Mon père a décidé de faire creuser la cave qui deviendra une boutique d'objets variés. Il y vendra encore des bibelots *made in Japan*, *made in China*, mais aussi du café, du thé, des épices et même des biscuits. Je suis haut comme son comptoir, quand je réussis à descendre au magasin pour demander, de la part de maman qui est en haut, un plat de « béscuits » et une tasse de « café brun ». Je monte laborieusement l'escalier du sous-sol avec, dans chaque main, la commande mater-nelle. J'aime déjà l'odeur du café en grains qu'il faut « passer au moulin » bruyant du magasin. J'aime le gingembre. C'est fort au goût, mais c'est tout de même presque du bonbon. Et ça ne me coûte rien !

Plus tard, lentement, le magasin de bibelots orien-taux se métamorphosera complètement en une vaste biscuiterie, puis en épicerie et puis, presque en même temps, en restaurant avec terrasse intérieure.

J'ai, à portée de la main, un lieu pratique où dénicher, dérober souvent, les bonbons si chers aux enfants. Tout cela fait qu'aujourd'hui encore, j'ai une certaine curiosité pour les boutiques de bibelots du quartier chinois, que je goûte particulièrement le café fort et en aime profondément l'odeur, et enfin, qu'un hot-dog, un *grilled cheese ou* un *sundae* très décoré ont sur moi un effet bénéfique. Un renforcement très positif, diraient les bio-socio-psychologues !

*

* *

La vocation de marchand nous appelait tôt. Toute réalité vraie nous semblait commerce. Commerce tou-jours. Les exemples pullulaient autour de nous, vivre vraiment nous paraissait être le grand jeu du troc, le jeu d'échanger, d'acheter et de vendre. Le mimétisme du commerce était la composante invariable des jeux de tous les jours, sans oublier, bien entendu, la violence, les tueries : jouer aux cow-boys : « Je fais le bon, non, je ferai le méchant aujourd'hui », et jouer à la guerre, jeu qui prendra de plus en plus de relief puisque nous étions à la veille des années 1939-1940.

La cour était divisée en magasins. Chacun avait son étal, son comptoir. Chacun organisait son stock et mettait de côté son argent de cailloux et de papier. L'un vendait des légumes, paquets d'herbes et de plantes sauvages qui poussaient dans certains coins de la ruelle et dans les quelques terrains vagues de la rue Jean-Talon ou Bélanger. L'autre vendait des « liqueurs », des bouteilles vides qu'on emplissait d'eau teintée par dix et cent moyens divers, dont le papier crêpelé, les filets à fruits, etc. Tout était prétexte à tenir marché. On allait d'un stand à l'autre pour échanger, acheter ou vendre des trésors imaginaires faits de vieux boutons dorés, de tessons de verre de couleur. Ces jeux nous tenaient en haleine des samedis entiers. Ma mère, nous voyant si intéressés, consentait à divers sacrifices, comme de nous prêter son tiroir à boutons, celui des ceintures variées, celui des vieux bijoux, camelote pas chère. Elle nous passait aussi son panier à épingles de bois, celui des restes de laine en balles, celui des lacets impairs, celui des couvercles des pots de conserves d'hiver. Tout y passait.

Nous imitions les mines graves de nos parents au marché Jean-Talon. Nous soupesions la moindre marchandise, nous en discutions âprement les prix fixés. Nous nous chicanions sur commande. Et nous allions jusqu'à faire des alliances, petits monopoles, trusts miniaturisés pour contrôler un des vendeurs qui exagérait vraiment.

Pour une soupe aux légumes !

L'imagination des enfants trop pauvres pour avoir de vrais jouets est inépuisable. Faute de vrais revolvers jouets, nous réussissions des fabrications en bois, étonnantes de vérité : petits fusils, revolvers de gros calibre, carabines à un et à deux canons, dagues, poignards, sabres, épées, coutelas, haches de guerre, arcs et flèches, frondes et arbalètes. La panoplie de l'armurier défilait. Nos cris stridents, nos « pow-pow » tonitruants faisaient de notre cour une salle de récréation si bruyante que des voisines finissaient par sortir pour implorer : « Madame Jasmin, madame Jasmin, misère, faites-les taire un peu, je vas devenir folle. » Ma mère rassurait Mme Denis, Mme L'Houiller, Mme Labbé ou Mme Bégin en nous criant, d'une voix de contralto étonnante : « Pas si fort, les petits gars, pas si fort et venez chercher des pommes », ou c'était des biscuits de papa. Répit, les morts se relevaient, les cow-boys s'époussetaient. Halte, les dangereux pirates, égarés dans la jungle des hangars, venaient sagement cueillir un gros biscuit aux dattes.

Quand nous aurons huit, neuf et dix ans, ces jeux s'accroîtront. Le terrain de ces combats féroces deviendra l'immense territoire de la ruelle avec toutes les cours des voisins, tous les hangars et leurs escaliers en colimaçon, les garages et les deux arbres géants de la cour des Dubé. Il y aura, toutefois, des lieux interdits. Par exemple, la cour du Dr Bédard parce qu'il y garde des chiens de chasse inquiétants, la cour de l'Italien Collangelo parce qu'elle est semée de légumes divers, et la cour de la petite Morneau parce qu'il ne faut pas faire de bruit, elle est si malade.

Il pleut de plus en plus souvent. Décembre approche. Entre l'été et l'hiver, c'est un temps pénible. Nos parents craignent l'eau en flaques, cela salit tant les maisons et puis, à nous mouiller les pieds, on risque les rhumes, maladie tant répandue qui nous donnait des beaux jours de congé, avec droit à la soupe aux légumes Campbell au lit, et dorlotement de maman. Ces rhumes étaient une hantise pour nos mères, car un enfant malade, gardé à la maison, était un terrible embarras le lundi, jour du grand lavage; le mardi, jour du repassage; le mercredi, jour du ménage, de la couture, du raccommodage; le jeudi, jour de «cuisinage» de gâteaux, de tartes, de beignes et autres pâtisseries; le vendredi, jour du marché, des commissions diverses. Ce n'était jamais le bon jour dans une grosse famille. Et pourtant, si cela devait arriver, maman trouvait le temps de nous chouchouter et c'est pour cela qu'on aimait tant «tomber malade». Nous avions alors droit à un soin enfin attentif, particulier. Nous nous sentions moins enfant anonyme dans la trolée de la mère Jasmin.

Depuis quelque temps, je tousse, la nuit, parfois à n'en plus pouvoir dormir. Le Dr Mousseau est venu l'autre soir. Je souffre des bronches, oui, «bronchite asthmatique», explique maman aux voisines. Et ça va durer longtemps. Je devrai endurer une combinaison de laine rouge sur la peau. Je déteste cela. Je devrai fumer. J'aime mieux ça! Fumer déjà! La poudre du Dr Chase... Et trois oreillers, en dormant, pour ne pas étouffer. Cela dure, va durer quelques années. La nuit, parfois, quand j'ai des crises aiguës, je fais des cauchemars étranges. Je deviens tout petit, tout petit et je cuis sous les couches d'«anti-flogestine», un épais mastic qu'on m'étend sur la poitrine et dans le dos.

L'été, ça va mieux. La toux se calme. Mais l'hiver, cela est parfois terriblement contrariant pour moi qui aime tant jouer au hockey, jusqu'à épuisement, sur le trottoir.

Mais, consolation, je suis soigné par maman. Papa s'inquiète. On s'occupe de moi. J'en souhaiterais presque rester malade longtemps. Quelques années plus tard, j'en guérirai aussi subitement que cette maladie m'était venue. Maman avait l'habitude de dire à mes sœurs : « Au moins, c'est pas la tuberculose, ça me console. » La tuberculose, quel affreux mot pour les gens de mon âge. Une terrible maladie quasiment incurable.

CATÉCHISME ET CONTES DE PERRAULT

Gilles Vigneault a parlé, l'autre jour, de l'ennui compact, de haute qualité, celui qu'il a connu, lui aussi, dans sa jeunesse pieuse. Il a dit : « Je m'ennuie de m'ennuyer comme je m'ennuyais dans ce temps-là. »

Un papier circule : permission des parents, nécessaire pour ceux qui veulent apprendre à être servants de messe. Mon père, qui rêve de me voir devenir prêtre, selon le vieux mythe christocratique et missionnaire du temps, signe à deux mains : « Tu vas voir, tu vas apprendre le latin, tu vas aimer ça. » Et puis, il y a le petit salaire, la modeste solde des petits soldats de l'Église. Cinq sous par messe, trente-cinq sous par semaine. Que d'argent ! Et il y a autre chose encore, une attirance confuse, diffuse, mais déjà violente pour tout ce qui est « cérémonie », uniforme, costume d'apparat.

Le frère Foisy nous enseigne les répons des offices : l'introït du début, le kyrie, le confiteor, le gloria, le sanctus, le credo, le terrible et compliqué *suscipiat*; où et quand aller chercher les burettes, déplacer le livre du prêtre, le poser au centre ou à gauche du célébrant, se relever, se remettre à genoux. Et nous recevons nos horaires. Oh! affreux petits matins de froidure automnale où il faut se rendre à l'église. Le vicaire s'amène dans la sacristie, mal réveillé, se raclant la gorge bruyamment. Il ne nous regarde jamais, on est là, c'est ce qui compte. Il marmonne des prières, on l'aide à s'habiller, aube, chasuble, brassard. Il sort ses instruments, ciboire, calice, patène. Il vérifie le nombre des hosties, en rajoute, s'il le faut. Et on y va pour une autre messe basse. Dans la nef, je jette un regard sur le public. Peu de fidèles, comme d'habitude. Quelques religieuses, du côté des sœurs, à gauche de l'église. Quelques petites vieilles, trois ou quatre petits vieux. Religion des petits matins pour les vieillards de la paroisse, religion de petite semaine pour vieilles personnes rendues aux portes du ciel.

*

*   *

Au lever, je dois exercer cette vue faible, cet œil gauche déclaré paresseux. L'oculiste Gervais a remis à maman une sorte de cache-œil, une pièce de celluloïd rose et noire munie d'un élastique. J'appelle ça mon œil de pirate. Je dois le porter le plus longtemps possible, le matin, en m'habillant. «Cela fera travailler ton œil qui louche», insiste ma mère devant mon peu d'empressement. Elle rajoute: «Veux-tu rester l'œil croche toute ta vie?» Je pose mon *black eye* de mauvais gré. J'enfile ma culotte de golf. « Regarde, dit maman, j'ai posé deux pièces neuves en cuir aux genoux de tes « britches. » Je regarde de mon œil gauche qu'il faut faire travailler : « Oui, merci ! » Mais à quoi bon d'aussi bonnes pièces de cuir, je dois maintenant porter des lunettes et je n'ai plus le cœur à jouer comme avant. Pour moi, c'est une sorte d'infirmité. J'aurais peur de les briser, il me semble. Le Dr Gervais a dit : « Pour quelque temps seulement, ce n'est pas grave. Ça se corrige souvent en vieillissant, vous verrez. » Pas longtemps ? Que veut-il dire ? quelques années ? c'est long ça. Il ne se rend pas compte.

Et je me dis qu'en fait, ce serait bien si cet œil pouvait se redresser, mes amis cesseraient, quand la chicane éclate, de m'appeler « coq-l'œil », et mes sœurs donc, qui n'arrêtent pas de me taquiner là-dessus avec la perverse cruauté des enfants.

« Et n'oublie pas la prière », d'ajouter ma grand-mère. Toujours la prière. Elle est partout la prière, cette ambiance, faite de bonne volonté de Dieu ou de l'un de ses saints, règne partout. Qui a réussi à guérir mes bronches malades ? « Saint-Joseph-du-Mont-Royal. » Qui guérira la maladie de ma sœur Marcelle ? « Marie-Reine-des-Cœurs. » Il y avait un Saint-Antoine-de-Padoue pour retrouver les choses perdues, un saint pour chaque cause et même pour les causes désespérées. Mon père s'excite dans ce monde surnaturel. Il parle des stigmates de Catherine Newmann, en Allemagne, du martyre du frère André, le frère-portier thaumaturge de Montréal. Il est aussi question de cette fameuse Mme Brault et de ses luttes contre le démon. Mon père a un gros livre racontant la vie des saints. J'ai déjà essayé d'en lire des chapitres, mais c'est plutôt ennuyeux. Mon père est déçu de mon peu d'intérêt. Je préfère le grand catéchisme-en-images aux illustrations souvent terrifiantes, et « mes contes de Charles Perrault » aux récits non moins épouvantables. La religion du temps avec ses menaces de l'enfer, du purgatoire, des limbes aux estrades grises et molles peuplées d'innocents, cette religion sinistre avec sa fête des Morts, sa cérémonie des Cendres, ses jours de la semaine sainte, ses condamnations prêchées avec véhémence, me nourrissait de mystère. Sorte de monde proche du cinéma de cow-boys qui plaisait bien à tous ces petits garçons romantiques, à tous ces gamins friands de contes d'horreur. Cette religion et ses peurs, ses tabous, n'est plus. Et, ma foi, je le regrette parfois !

Les enfants de chœur découvrent la qualité. La qualité de certaines choses. La qualité supérieure. La qualité des beaux tissus, ceux de l'autel, lingerie toujours immaculée et empesée grâce aux soins des « pisseuses » de Sainte-Croix qui se dévouaient à ces tâches. Qualité du mobilier tout de chêne blond et solide, d'une robustesse sans finesse, sans art, mais durable, plus solide que nos meubles qui cassaient si souvent, qui s'usaient si vite, mobilier des pauvres gens qu'il faut toujours réparer. Papa répare les barreaux des chaises de la cuisine avec des colles faites de farine. Il invente, pour les pieds fracturés des tables, des emplâtres composés de corde, de bouts de prélarts badigeonnés de ciment.

Il y avait encore, dans la sacristie, la découverte du vin rouge. On en buvait souvent en cachette. Cela nous faisait un peu tourner la tête. Qualité ! Qualité des instruments en or du célébrant, marbre partout, pierre solide, bancs du chœur quelque peu ouvragés, partout, c'était la qualité. Jusqu'au velours si doux de nos soutanes qui nous rappelait les petits habits de velours que nos marraines riches offraient aux bambins chéris que nous étions.

Découverte d'odeurs distinguées. Celle de l'encens, par exemple. Qualité des mosaïques décoratives, des carreaux de céramique multicolores aux planchers. Qualité qui nous faisait bien prendre conscience que Dieu devait être « affaire de riches ». Comme nos parents, en silence, sans jamais nous poser de questions sur la discrimination sociale qui en découlait, nous admirions la richesse de l'église, le « triomphalisme » du catholicisme de l'époque.

Le dimanche, il y avait les vêpres. Il fallait aussi servir pour cette sinistre cérémonie. Et pourtant, malgré la lenteur de ces rites de fin de journée, malgré cette sorte de torpeur qui s'emparait de nous tous, officiants, servants et fidèles, il se dégageait parfois, de ces prières psalmodiées, un je-ne-sais-quoi qui nous plaisait, qui m'envoûtait même, certains dimanches. Ces lumières faiblardes, tous ces lampions et ces cierges aux lueurs vacillantes, cet encens odoriférant, ces voix rauques et traînantes des chantres du jubé central, tout cela finissait par me catapulter haut et loin, dans un nirvâna de bien-être indéfinissable. Une sorte de sensualité s'emparait de moi et j'étais ravi, comme un bienheureux saint.

DEUXIÈME PARTIE

L'hiver… une vraie saison !

Cela se produisait parfois. De la neige dès les premiers jours de décembre. De la neige! Suffisamment pour réjouir les gars de la bande. Ils trépignent: «Vite, habille-toi, vite.» «J'arrive.» J'avale de travers la dernière rôtie enduite d'épaisse confiture Raymond. «J'arrive, les gars!» Que c'est excitant, la première neige. Les enfants en chantent de joie sur le trottoir. C'est une arrivée saluée avec un entrain extraordinaire. Roland fait des pelotes, il a le bras vigoureux, il en lance dans toutes les directions. C'est une neige mouillante qui ne durera pas longtemps. Dix minutes de soleil, cet après-midi, et elle sera aussitôt changée en eau. Ça ne fait rien. On n'y pense pas. Ah! cette belle blancheur partout! Ce tapis lumineux a tout recouvert: hangars, escaliers, balcons, ruelles, cours, garages, poubelles, cordes à linge, fils de téléphone et d'électricité, poteaux et poulies, persiennes, boîtes à épingles à linge, corniches, cabanes à moineaux, paniers à raisins vides – pour le vin des Italiens du quartier – tout est blanc.

Pour nous, c'est un spectacle séduisant. Cette neige précoce nous est une annonce. Elle nous avertit merveilleusement des plaisirs de l'hiver. Papa se demande peut-être avec quoi il pourra payer le charbon de M. Thériault, mais Gilles et Yves se roulent déjà de grosses boules géantes, au milieu de la cour. Maman songe peut-être que les bottes d'hiver neuves, pour trois de mes sœurs, vont trouer dangereusement son budget du mois, mais André Hubert et Jacques Malbœuf échafaudent déjà des plans pour que nous ayons des filets de gardien de buts de hockey.

Les enfants du pays aiment l'hiver. Nous aimions cette saison. Elle avait ses lois, ses contraintes, mais elle savait compenser en nous permettant de nouveaux jeux. Le printemps, c'était autre chose, c'était la venue du calme et de la douceur. L'automne, c'était une sorte de période creuse, d'attente, de temps mort. Tandis que l'hiver était, comme l'été, une vraie saison, un temps qui comptait pour nous, gamins du quartier Villeray, un temps qui avait des os, une charpente. « L'hiver est donc arrivé enfin », nous répétons-nous en marchant hardiment dans cette ouate blanche encore trop mince. Enfin, on va pouvoir sortir nos rondelles, nos bâtons enrobés de ruban gommé noir, nos gants usés, nos *pads* de gardiens faits de vieilles boîtes de carton ondulé, nos jambières improvisées. Le trottoir servira de patinoire, « de la borne-fontaine à ce lampadaire-là ». Et tant pis pour les passants parfois affolés qui courront, comme ils couraient l'an dernier, pour éviter nos coups de hockey involontaires. On ne voyait rien, ni personne. Nous étions des Mantha, des Morentz, des Elmer Lack, des Toe Blake. Nous étions de fameux joueurs.

Et cet hiver, nous le savions bien, quand la neige y sera pour vrai, il y aura la construction des labyrinthes, dans les bancs de neige de la rue et de la ruelle, des fortifications avec leurs créneaux glacés d'où partiront, sans relâche, des salves de balles blanches meurtrières ! Il y aura aussi, vu que j'ai huit ans maintenant, la permission d'aller à la patinoire publique du Shamrock, au marché Jean-Talon, où il y a de la vraie glace à patiner, sans bosses ni trous, bien entretenue par la municipalité.

Est-il possible, mon Dieu, de s'être tant amusés à si bon marché ? Des heures passent sans mettre le nez à la maison, des après-midi à jouer dans la neige malgré des froids souvent violents, parfois au beau milieu de tempêtes aveuglantes. Nous devenions, ces jours-là, de véritables bonshommes de neige ambulants. Nos tuques, nos foulards, nos coupe-vent, nos mitaines, nos culottes de neige, tout notre linge était enduit de neige motonneuse bien agglutinée. Quand nous entrions, ces jours de congé, à l'heure du souper, le plancher de la cuisine avait été recouvert de papier journal pour recueillir tout ce linge enneigé, et c'était une joie d'entendre les hauts cris de maman qui n'en revenait jamais de voir ses enfants transformés de la sorte. Elle s'empressait d'ailleurs de nous faire sortir de nouveau et, à grands coups de balai, essayait, disait-elle, « d'enlever le plus gros ». Puis, on se déshabillait en riant, en parlant tous en même temps, racontant nos exploits :

« J'ai sauté du haut de la galerie des Vincelette.

– Moi, du garage des Laroche.

– J'ai construit un tunnel long, de chez Lemire jusque chez Décarie.

– Et toi ? »

La plus petite marmonnait : « Tu veux pas que je sorte de la cour, maman. » Et puis, on en profitait toujours pour donner des nouvelles : « Les Danna ont un chat de plus, il est énorme et tout noir. »

Maman faisait mine d'être captivée en dénouant les foulards protecteurs des gorges si fragiles.

« Oui, et les Lemire ont fait tuer leur chien.

— Non… disait maman, vous ne me dites pas !

— Oui, et le professeur Laroche a remisé sa Buick bleue dans son garage, pour le restant de l'hiver, qu'il nous a dit !

— Madame Cormier nous a crié de sortir de sa cour. »

Maman disait alors : « Elle est si malade, ne vous obstinez pas avec elle. » Et elle demandait : « Avez-vous vu Rita ? Elle ne va pas mieux ? » On n'avait pas vu Rita. Elle ne sortait jamais jouer l'hiver. Elle apparaissait parfois à la fenêtre de sa chambre, plus pâle que jamais, et nous regardait jouer.

Les « madame » du quartier

Au monde des enfants, les adultes n'ont pas de prénoms. Il est rare que maman appelle mon père, Édouard. Quand elle le fait, c'est pour se moquer, pour rire ou pour chicaner. Cela donne : « Cher petit Édouard à moi toute seule » ou bien « oh ! mon Édouard d'escogriffe ! » Au monde des enfants, il n'y a que nous, les enfants, papa, maman, des « monsieurs » et des « madames ».

Chapelet des noms des « madames » voisines avec, pour chaque nom, une image, un souvenir plus fort qui caractérise la madame en question. Ainsi, il y avait Mme L'Houiller et sa petite matraque de fer à battre ses steaks. Presque tous les jours, à heure fixe, on écoutait et, du deuxième étage, soudain, les coups nerveux du batteur crépitaient. Ma mère disait, les yeux au plafond : « Mme L'Houiller est rentrée de son travail. » Chères « madames » de notre enfance : Mme Cormier qui guette, tard, du haut de son balcon, son roméo de mari, soldat gradé de l'armée de réserve ; Mme Devault, au visage toujours placide, qui s'en va au cinéma tous les trois soirs ; Mme Bégin qui revient de l'église où elle va sans cesse demander « une faveur spéciale » ; Mme Thériault, toute de noir vêtue, à la peau très blanche, qui va chez Bourdon, chez Turgeon, comparer les prix de la viande si chère ; Mme Lemire qui tricote d'éternels gilets de laine, en se berçant sur son balcon ; Mme Labbé qui lit toujours ses revues sur le cinéma américain ; Mme Audet, derrière ses rideaux entrouverts, qui regarde rouler les tramways et les autos ; Mme Turcotte qui a toujours, dirait-on, un bébé dans les bras, et Mme Morneau qui console les uns les autres et surtout sa chère Rita qui est si malade.

Madame Légaré, madame Forget, madame Lafontaine, qu'êtes-vous donc devenues maintenant que le temps a passé, maintenant que vous êtes sans doute de douces et bonnes vieilles femmes comme ma mère ? On ne vous voit plus sur les balcons de la rue Saint-Denis, sombres, discrètes le soir venu, silhouettes rassurantes à la lueur des réverbères. Vous nous sembliez autant de bienveillantes sentinelles, vous toutes qui veilliez sur vos enfants, et sur nous aussi. Vous vous penchiez vers le trottoir, madame Denis, pour vous informer : « Comment vont les jambes de ta mère, mieux ? » Vous descendiez huit marches, madame Richer, pour dire : « Tu ne devrais pas mâcher de la sorte, tu vas te défaire la mâchoire si tu continues. »

On grimaçait, on ricanait, on insultait parfois, mais, au fond, on avait le cœur chaud de vous savoir nichées un peu partout sur les galeries. Vous faisiez partie intégrante et nécessaire de ce monde clos, tiède, paisible, d'une enfance pas riche, rue Saint-Denis.

Les bonnes à bon marché

Les grosses familles, comme la mienne, avaient une bonne. Ce n'était pas un grand luxe. C'était, ma foi, une sorte d'exploitation ! Ces « servantes », ainsi qu'on appelait les bonnes, étaient payées, pour la plupart, cinq dollars par semaine. Logées et nourries, c'est le moins que l'on pouvait faire ! Ces filles louées étaient vaillantes. Elles devenaient, le plus souvent, une deuxième mère. Elles venaient des provinces du Québec, de l'Abitibi, de la Gaspésie, du Lac-Saint-Jean, de Pontiac. C'était des filles fortes, elles devaient l'être pour aider maman à faire les lessives, le reprisage et le repassage, à faire un peu de cuisine, à nous laver, à tenir la maison nette et puis, aussi, à nous faire jouer. Il fallait tous les talents. Maman adoptait littéralement la servante. Ainsi, nous avions une sorte de grande sœur adulte pour jouer et, aussi, une autre représentante de l'autorité établie pour nous « élever ». « T'es pas ma mère, OK là » était parfois le cri de protestation quand Léa, qui venait de Gaspé, voulait nous corriger d'une taloche bien appliquée, quand Marjolaine, qui était de Saint-André-Avellin, nous tordait un peu le bras, ou quand Colombe, la douce Colombe, à bout de nerfs, osait

soudain nous serrer les ouïes du cou ! Si une bonne se
montrait trop accorte ou trop coquette, plus
intéressée à faire des petits plats à papa qu'à repriser
nos fonds de culotte, elle ne faisait pas long feu à la
maison. Chacune de ces servantes fut pour nous, les
enfants, un moyen de plus pour découvrir un autre
pan des mœurs du vaste monde. Les premiers jours,
nous étions réservés, polis, gentils et prudents.
C'était alors comme un jeu de cache-cache. Chaque
partie restait sur sa défensive.

Léa reçut, un matin, un mystérieux colis. Une
forte odeur s'en dégageait. Léa venait d'être gratifiée
d'un cadeau de son pays : quelques têtes de morue.
Ces têtes de poissons nous frappèrent. Nous en
fûmes estomaqués. Qu'allait-elle en faire ? Léa nous
apprit qu'elle en ferait un délicieux potage, une
soupe à la manière gaspésienne. Nous n'en revenions
pas ! Elle voulut nous y faire goûter, ce fut un refus
radical. Elle nous traita de « pauvres petits igno-
rants ». Pour faire la brave, ma sœur aînée en but
quelques lampées et affirma, sans grande conviction,
« que c'était un petit goût pas pire pantoute ». Ainsi
se faisaient ces découvertes du vaste monde et de ses
coutumes bizarres.

Le règne de Marjolaine fut le plus long et le plus
bénéfique. Cette fille énorme avait un cœur énorme.
Maman en devenait presque jalouse ! Marjolaine
inventait des jeux d'intérieur avec des riens. On ne
savait pas où elle puisait ses idées. Ses ressources
semblaient intarissables. Elle aurait fait florès dans
les centres récréatifs modernes d'aujourd'hui. Marjolaine n'avait qu'à dire : « Les enfants, gardez les
bâtons de ces sucettes » ou bien « ne jetez pas tout ce

papier d'emballage », et on savait alors qu'il y aurait, le soir venu, un jeu inédit. C'était une animatrice-née.

Quand Marjolaine dut retourner dans sa vallée de l'Outaouais, ce fut un grand malheur. Elle nous expliqua, la veille de son départ, qu'elle allait se marier et qu'elle voulait « avoir d'aussi beaux et gentils enfants que nous ». On l'écoutait, ébahis. On se sentait trahis ignominieusement mais, en même temps, on découvrait notre chère Marjolaine sous un aspect neuf ! C'était donc aussi une femme comme les autres ! Elle nous avait caché sa vraie nature ? Il y avait un homme là-bas, à Saint-André, dans sa vie. Une vie secrète ! Elle ne nous avait pas tout dit ! Elle allait se marier. Comme maman, elle aurait des enfants…

Nous sommes allés la reconduire jusqu'au coin de la rue. On avait mis sa valise dans ma voiturette. Longtemps, on l'a regardée s'en aller. Longtemps, jusqu'à ce qu'elle disparaisse en tournant au sud, rue Saint-Dominique, vers le terminus des autobus. Et on ne l'a plus jamais revue.

Colombe arriva quinze jours plus tard. Cette fois, c'était une servante fragile, toute menue. Le contraire de la bien-aimée Marjolaine. Elle avait une toute petite voix. Maman l'adopta très vite. Maternalisme jamais assouvi, ma mère se mit en frais de parfaire l'éducation de cette nouvelle petite bonne. Colombe était souvent malade, avait peu de forces pour toutes les corvées domestiques et maman la soigna souvent, comme si elle avait été une autre de ses filles. Nous avions perdu une grande amie et cette fois, avec cette tendre Colombe, nous devions nous reprendre en mains. Nous redevenions des enfants ordinaires, mais souvent, les jours de pluie, nous refaisions ces jeux enseignés par Marjolaine que l'on appelait, dans l'euphorie des meilleurs moments, Lailaine !

Un Noël canadien-français-catholique !

Décembre 1933 ou décembre 1936, pas de différence. Avoir six ans ou avoir huit ans, c'est la même vie. Existence calfeutrée, à l'abri des soucis adultes. Un certain Adolf Hitler peut bien augmenter ses pouvoirs en Allemagne, cela, comme tout le reste des affaires du monde, ne concerne pas les enfants. Pas plus les enfants qui jouent dans les rues de Munich ou de Berlin, que ceux qui jouent dans les rues de Montréal. Décembre, c'est la venue prochaine de Noël, du premier jour de l'An, période toujours plus belle, en fin de compte, que les jours de fête eux-mêmes. L'attente du merveilleux, les désirs, les souhaits, l'espoir quoi, formaient la trame euphorique des jours qui précédaient Noël et le jour de l'An.

Il y avait dans l'air un éclat neuf. Nous allions examiner longuement les vitrines des magasins de jouets. Celle du marchand spécialisé, Albert Lord, celles de Chez Nadeau aux jouets moins coûteux, plus faciles, donc, à obtenir, à demander à nos parents « pas en moyens », phrase qui revenait toujours dans la bouche de maman l'économe : « On n'est pas des gens en moyens, ne l'oubliez pas ! »

Un peu plus âgés, nous poussions une pointe jusque dans la rue Saint-Hubert où les magasins s'alignaient, de la rue Bélanger jusqu'à la rue Beaubien. Vaste choix pour nous remplir les yeux en cette fin de décembre. Partout, ces décorations, criardes pour la plupart, nous faisaient signe d'attendre avec espoir les beaux jours de fêtes. Et nous rêvions de plus belle. Nous pouvions rester des heures à examiner ces vitrines d'étrennes proposées chez les Larivière-Leblanc, les Woolworth, les Kresge, les 5-10-15 et autres bric-à-brac de cette rue commerciale !

Les gens, à mesure qu'approchaient ces jours fériés, devenaient de plus en plus nerveux et animés d'une joie brouillonne. Fièvres d'un temps béni. Il allait y avoir du spécial au sein de nos petites vies ordinaires. La nourriture, par exemple : « Les sueurs m'aveuglent », répète maman. En effet, ne prépare-t-elle pas des montagnes de gâteaux des anges, de beignets, de tartes variées ?... N'allions-nous pas avoir le droit de goûter le vin rouge adoré par papa, ainsi que les liqueurs fortes de sa composition ? Il revenait de chez le pharmacien Martineau, les bras chargés d'essences aux teintes vives qui nous plaisaient tant. Il ajoutait de l'alcool, un peu de sucre, un peu de ceci, de cela, et disait : « Goûtez-y, les enfants, goûtez-y, vous allez voir. » On acceptait avec ferveur de servir de spécialistes, mais ma mère surgissait : « Oh ! mon snoreau, es-tu en train de virer fou ? Ce sont des enfants ! » Et elle nous retirait les petits verres à liqueur verte, rouge, jaune. Papa riait : « Voyons sa mère, ça protège des rhumes, c'est comme du sirop. » Papa devait alors, lui-même, expérimenter ses recettes de « boissons fortes ». Et ce n'était pas long que nous le trouvions tout joyeux, tournant autour de maman, de la bonne, de Mme L'Houiller qui était venue prêter des moules à tartes ou à gâteaux. On avait un peu peur de cette hilarité inhabituelle, mais on était vite rassurés puisque maman souriait aussi en fin de compte, le repoussant mollement : « Grand fou d'excité, qu'est-ce que les enfants vont penser de te voir de même. Va donc te coucher un peu, ça va te ramener les esprits sur terre. » Et elle roulait sa pâte avec énergie, découpait ses beignets avec un gobelet ou un verre saupoudré de farine et nous permettait de percer les beignes avec des dés à coudre. On mangeait ces « nombrils de pâte » en riant et on se battait pour gratter les fonds de plats qui avaient contenu les divers « crémages », comme on appelait les glaçages des gâteaux.

Parfois, maman poussait un gros « ouf » retentissant. La servante lui disait : « Vous en faites trop ! Vous allez vous faire mourir. Oui, vous allez vous tuer avant le jour de Noël. Arrêtez-vous ! »

Mais ma mère avait appris de sa mère, qui l'avait appris de sa mère, qu'il était plus économique de fabriquer à la maison toute cette boustifaille des fêtes. Et elle s'acharnait à bourrer la dépense froide – qui était l'armoire à cinq tablettes du balcon arrière – de ses pâtisseries que nous adorions, ce qui l'encourageait sans doute à poursuivre ce travail à la chaîne. C'était, dans le temps, la fierté d'une femme que de pouvoir ainsi « faire » tous ses desserts.

*
*   *

Noël, dans ce temps-là, était surtout une fête religieuse. Nous recevions le petit Jésus. Plus jeunes, on croyait vraiment que Jésus venait au monde, vraiment, chaque 25 décembre, dans une crèche à Bethléem, les hôteliers ayant tous refoulé la Sainte Famille vers cette grotte-étable. À l'église, nous restions longtemps à considérer la reproduction de cette Nativité. Nous ne doutions de rien, la réplique devait être scrupuleusement conforme à ce lieu lointain en Palestine où, bizarrement, se trouvait un bœuf, mais aussi des chameaux, un âne, des moutons et des rois de livres de contes, des rois qui ne ressemblaient pas à ceux d'Angleterre, mais plutôt à des êtres imaginaires, et qui apportaient de l'or à cet enfant, fils de Dieu.

Il fallait accrocher un bas de laine vide au pied du lit. Au matin de Noël, nous trouvions ce bas rempli de fruits et de bonbons. Beaucoup de pommes, un peu de raisins, une banane, quelques bonbons et des sous noirs. Nous recevions aussi chacun un jeu, un livre de contes, un simple cahier à colorier avec sa perpétuelle boîte de huit craies de cire grasse et bon marché.

Au jour de l'An, c'était le grand jour. Chaque année, nous allions chez Léo, frère de papa. À cette époque, la grand-mère paternelle habitait chez lui. On aimait cette maison de la rue Saint-Denis, près de la rue Faillon. Il y avait des tapis, luxe que nous ne connaissions pas et que nous n'avions vu qu'à l'église, dans l'allée centrale, les jours de grands mariages. Il y avait du «tapis de Turquie», et pas seulement dans le salon, dans le couloir aussi. Les vitres des portes et des fenêtres étaient garnies de pièces de verre coloré enchâssé dans le plomb, comme à l'église encore. C'était chic. C'était beau quand, l'après-midi du jour de l'An, le soleil coloriait, par réflexion, les murs et les planchers des motifs floraux de ces vitraux miniatures. Et puis, il y avait un arbre de Noël, haut, bien garni de décorations si variées. Papa refusait toujours le traditionnel « arbre », il disait : « C'est du gaspillage et puis c'est pas catholique. Contentons-nous d'une crèche plutôt, c'est moins dangereux pour le feu. » Notre père a toujours eu une sacro-sainte peur du feu. Il était le contraire du pyromane, soufflant chacune de ses allumettes trois ou quatre fois pour rien, pour être bien sûr. Et, en bon fumeur de pipe, il en consommait des allumettes de bois, Eddy !

*

* *

Le jour de l'An, c'était donc branle-bas de départ vers le logis de tante Rose-Alba et d'oncle Léo. Comme nous avions hâte de défaire le « cadeau » de mémère ! Elle faisait un cadeau par année et il était toujours de prix. Nous consentions à embrasser la vieille peau ridée de ses joues pour la remercier. Nous étions bruyants, excités et cela faisait un contraste avec les deux enfants de l'oncle Léo qui étaient calmes, timides et d'une réserve polie. La présence de mémère les empêchait-elle de se « dévergonder » ? Comment savoir ? Je me souviens avoir, moi-même, toujours été intimidé par la mère de papa, veuve archipieuse que l'on disait « riche », par comparaison avec nous qui étions « si peu en moyens » ! En tout cas, on se rappelle longtemps les jouets de prix. C'est grâce à mémère que je connus donc, selon les années, les joies d'une pelle mécanique assez complexe ;

d'une traîne sauvage à six places pour la glissoire que papa nous faisait, chaque hiver, dans un coin de la cour ; d'un immense jeu de chevaux de course ; du chic Monopoly ; du jeu du petit chimiste ; d'un jeu élaboré de « bingo familial » ; d'une paire de patins à glace neufs, pour une fois, et, l'année où je devins servant de messe, de l'attirail complet du parfait petit célébrant de messe avec les instruments plaqués or. « Vous verrez, je suis certaine qu'il fera un prêtre comme mon plus vieux, Ernest. » Et ma grand-mère Lefebvre, elle, pour ne pas être en reste, renchérissait : « Il fera un pape, rien de moins qu'un pape ! »

CHÉRUBIN GLACÉ AU COIN D'UN CAHIER

L'hiver règne. Nous sommes allés à la fête des enfants, celle de la Sainte Famille. Enfin un nom de fête qui avait un sens clair, précis, alors que l'Assomption, la Circoncision, la Pentecôte... L'église Sainte-Cécile est comme une gare d'enfants. C'est inusité, amusant, excitant même. Les enfants parlent, crient, chialent, les mères, en ce jour spécial, sont harassées. Ça court dans les allées, le curé semble tout heureux de ces piaillements, l'église a une allure vivante de marché un samedi matin d'été.

L'hiver règne. Dans la cour, on a la glissoire. Ceux qui ne possèdent pas un traîneau ou une traîne sauvage se débrouillent avec des bouts de carton épais, des pièces de vieux tapis ou de prélart. Après la fête des Rois, le 6 janvier, l'école à rouvert ses portes. C'est donc toujours le même rythme à deux temps : la cage, matin et après-midi, la libération, de quatre heures à six heures ainsi que samedis et dimanches. Tous les soirs, les cahiers de devoirs s'ouvrent en éventail autour de la table de la cuisine. Maman supervise ces travaux forcés tout en lavant la vaisselle. Parfois, papa remonte de son magasin, entre deux clients, pour jouer les instituteurs savants, sachant tout, capable de coordonner les problèmes de la deuxième, de la troisième, de la quatrième et de la cinquième année du cours élémentaire. Il fait du zèle. Il veut même écrire dans nos beaux cahiers à l'encre. On l'en empêche, car écrire à l'encre demande des soins infinis. Il faut placer un transparent sous chaque feuille pour que toutes les écritures enfantines soient bien uniformes, donc faciles à corriger pour les religieux et les religieuses de la paroisse.

Et quand on a les bonnes réponses, que les exercices sont corrects, que le travail est bien propre surtout, on est fiers de montrer, le surlendemain, les jolis collants rémunératoires dans le coin de la page : un chérubin glacé, tout rose ; une vierge de Lourdes, les yeux au ciel ; un Sacré-Cœur très saignant ; une Thérèse d'Avila très souffrante ; un saint Joseph à l'enfant, très paternaliste, et le reste. Parfois, ce n'est qu'une étoile, il y a un code d'établi : argent, c'est pas mal ; vert métallique, c'est mieux ; violet, c'est très fort et, doré, c'est le summum de cette catégorie « étoiles ».

Nous recevons aussi d'autres marques de considération. Par exemple, des images pieuses, certaines sont embossées, reliefs de qualité. Et puis, il y a le tableau d'honneur, derrière la classe, où les noms ont été tracés sur l'ardoise avec des craies de couleur variées. Il y a aussi deux ou trois médailles : celle du premier de la classe, souvent le même douze mois sur douze, la médaille est en or ! Il y a celle qui est en argent pour le plus laborieux, le plus sérieux, et une autre pour le plus poli, le plus propre, celui qui a les plus belles manières.

Je n'obtiendrai jamais une de ces multiples récompenses. Je ne traîne pas la queue, non, mais je suis un gars moyen. En certaines matières, certains mois, c'est vraiment pas riche. En d'autres, c'est un peu plus brillant. J'aurais bien aimé voir mes cahiers couverts de ces petites estampes collantes, comme ceux des premiers ; j'aurais aimé avoir mon nom au tableau d'honneur ; j'aurais aimé arborer, au moins une fois, la belle petite médaille en or. Si j'avais pu, au moins, gagner lors d'un tirage... Mais je ne suis pas chanceux, je ne gagne jamais et pourtant, je dis toujours « huit » ! Je ne veux pas lâcher ce chiffre, je ne sais pas pourquoi ! Je me suis fait accroire que 8 est mon chiffre de chance. J'aime ce chiffre, j'aime sa forme, je le trouve gras, sensuel, important, haut, ambitieux. C'est fou !

Peu à peu, avec les années, je me suis fait à l'idée de ne pas gagner prix, médailles et autres compensations.

PERSONNE N'A FROID QUAND LE JEU EST ROI

L'hiver règne. Janvier dure longtemps. Nous sommes satisfaits. Il dure bien. Il est moins hypocrite que février qui s'achève toujours abruptement. Janvier est un long mois blanc. Un long mois de véritable hiver. Il y a des tempêtes, mon père sort ses mots d'habitant, de fils de campagnard : il parle de « frette noère » mais aussi de bourrasques à tout casser, et descend alors brasser les « grils » de sa grosse fournaise qui, bien rouge de braises, fournira l'eau chaude à la dizaine de calorifères de métal de la maison. Calorifères qui devenaient jouets les jours d'ennui : on cognait dessus comme sur un xylophone, on en ouvrait les robinets... un jouet de plus quoi, quand l'effrayante bourrasque, dehors, décidait maman de nous garder à la maison : « Oui, oui, je vous garde au chaud, dehors, vous attraperiez votre coup de mort. »

Des glaçons se formaient partout, l'on grattait les vitres des fenêtres qui s'étaient complètement givrées. Le vent sifflait dans les fentes des châssis défectueux, sous la porte de la cuisine. Mon père calfeutrait, posait du ruban ouaté partout, le froid lui faisait peur. Il craignait les rhumes, « la maudite pneumonie ». Il redescendait en courant, répétant : « Je vais voir à ma fournaise. » Et l'on se sentait toujours rassurés d'entendre le bruit du sas secoué énergiquement par ce père transformé en un farouche lutteur contre le terrible hiver québécois.

Papa disait aussi : « La poudrerie, ça annonce un temps plus doux. » Et le thermomètre Fahrenheit montait, passant du 30 degrés sous zéro, au 15 sous zéro. « Youpi, on va pouvoir sortir dehors ! Sortir dehors ! »

Par ici, en ce temps-là, on disait : « Monte en haut mon p'tit crapaud » et « descends en bas mon p'tit verrat. » Ainsi, « on sortait dehors », la tuque enfoncée jusqu'au bord des yeux, le long foulard bien enroulé autour du cou, la paire de mitaines bien sèches qu'on finissait d'enfiler fébrilement, et c'était l'assaut de cette nature rebelle aux yeux des parents. Nous domptions, sans effort, cet hiver tant craint par les gens qui, dès novembre, parlaient de sa venue comme de l'invasion d'un affreux monstre. Les enfants s'adaptent à tout, à toutes les situations. Le froid lui-même nous servait de fouet, il nous forçait à nous démener de plus belle, à jouer avec plus d'énergie, combattant d'instinct ce prétendu fléau des « frettes noirs ».

Regardez donc courir Gilles, la morve lui coule du nez, les larmes, les larmes du « frette noir », roulent sur ses joues, il a les doigts gelés dans ses mitaines un peu trouées, les orteils... c'est simple, il ne les sent même plus quand il y pense et, regardez-le, il court à l'attaque du fort ennemi en s'époumonant : « Ah, mes tabarnouches de tabarnaches de tabarouettes, vous allez en manger ! » Il n'a pas froid, Gilles ! Personne n'a froid quand le jeu est roi, quand le jeu est une religion !

C'est bien simple, janvier passera trop vite. Une bordée de neige est un don du ciel. Les enfants scrutent le ciel tout l'hiver. Ils attendent toujours plus de neige. Il n'en tombe jamais assez. Je me souviendrai à jamais de la beauté de ces tempêtes quand, le soir venu, les flocons flottaient dans la lumière des réverbères. Nous en étions émus à en chanter, à en danser des valses enfantines, la bouche ouverte, les bras levés, rendant hommage à ce ciel béni qui déversait ces millions de cristaux bienvenus. Oui, l'hiver était partie importante des merveilles du temps heureux de cette enfance pauvre. Nous étions riches, riches d'une si belle saison, riches de pouvoir jouer ainsi, malgré le froid. Durant l'hiver, nous étions des enfants heureux malgré certaines maladies, certains accidents bénins, et malgré la mort qui rôdait toujours: qui rôdait autour de grand-maman qui est maintenant déclarée malade, qui rôdait, qui tournait, la sordide, autour des fenêtres chez Rita, Rita pour qui l'hiver n'est qu'un spectacle qu'elle voit se dérouler passivement, les coudes enfoncés dans des coussins.

La mort du gros cheval

L'autre saison viendra. Nous voilà encore une fois au milieu du temps. Février s'est sauvé. On s'amusait bien. Il a filé avec ses tornades blanches, ses giboulées soudaines. Mars a sorti son soleil et l'on patauge déjà dans l'eau. Le gazon réapparaît sur le bout du mont Royal. Le rhume court. Ils n'en mourront pas tous, mais ça tousse durant les classes. On a sorti nos sacs de billes. Des ballons remplacent les rondelles de hockey. « Ne vous mouillez pas les pieds », répète maman. Les enfants n'écoutent pas. Et ça tousse, ça tousse. Les remèdes remplissent les tablettes de nos petites pharmacies domestiques. Tous les pharmaciens des coins de rues se réjouissent. Les enfants attendent. Ils attendent la vraie saison, la deuxième: l'été. Comme en hiver, en été on peut vraiment vivre normalement. Les enfants vivent au ralenti.

Et pourtant, quand avril viendra avec son air qui s'adoucit, qui nous caresse et nous fait du bien, quand avril viendra on retrouvera notre joie. En attendant, on joue mollement. On joue aux billes, aux « smokes », aux « marbres », aux « allées », appelons ça comme vous voudrez. On fait fondre la neige avec du gros sel, on joue aux employés de la voirie en cassant la glace sur le trottoir qui avec une hache, qui avec un pic, qui avec de simples barres de fer arrachées à de vieilles clôtures délabrées.

En attendant, on écoute le prof de quatrième, de cinquième année. Le petit père David s'énerve de l'excitation saisonnière. Il est le préfet de discipline, il y en a un par école. Il a une « banane » de cuir. Il frappe, le midi ou à quatre heures, les plus récalcitrants, ceux qui sont « montés » trois fois sur le « théâtre » de la salle de récréation, « piqués » par un des brigadiers. Les brigadiers, c'est la milice, c'est la police enfantine. Ces petits gardiens de l'ordre seront un jour soldats, policiers, justiciers, juges. Le bonhomme Papineau n'a pas d'autorité. Il est toujours dépassé, toujours en sueur, il est incapable de crier ni de rester vraiment calme, maître de lui. Il perd les pédales, il punit à tort et à travers. La classe de quatrième est devenue folle, déboussolée. Le grand Labonté, un jour, fait un vacarme, organise une mutinerie. Les délinquants se joignent à lui. Ils cassent tout. J'ai peur, j'ai très peur et pourtant, j'admire ce sauvage spectacle de garçons en colère. Le frère directeur s'amène avec sa petite tête chauve et fait évacuer la classe. Nous nous retrouverons tous, et ceci pour deux jours consécutifs, à genoux sur le plateau du théâtre.

Le prof Papineau est parti. Loin, en repos. Labonté est envoyé à l'école de réforme, rue Saint-Denis. On chuchote : « Il paraît qu'il a été tondu, qu'on lui a arraché les ongles et toutes les dents. » Les rumeurs les plus folichonnes courent. Les plus sages en tremblent d'effroi. Les plus durs murmurent. Ils parlent de s'organiser, d'aller délivrer Labonté – drôle de nom pour un tel énergumène – avec des échelles de corde, certains disent qu'ils auront des poignards ! Si maman savait ça ! Je ne lui raconte rien de toute cette pagaille. Elle pourrait aggraver la situation, faire des démarches pour qu'on me change de classe, c'est son genre. Je suis témoin, témoin inquiet et médusé, je me sens complice aussi. Je suis éberlué par ces gars qui me semblent courageux et insensés à la fois.

Mars est un long mois d'hésitations. Il fait chaud trois jours et puis soudain, comme en octobre, on gèle tout rond quatre jours. Et ça recommence. On ne sait trop comment se vêtir. La neige est vraiment en train de fondre et puis, rataplan, voici encore une autre tempête ! Alors, on suit la vague, on serre nos balles et nos billes, et on exhibe de nouveau nos pelles, nos hockeys.

Il y a la cérémonie « des gorges » qui nous amuse bien. Ce long cierge béni, en forme de fourche, que le prêtre applique sur notre cou. Il y aura la cérémonie « des cendres » bientôt. Plaisir de se faire saupoudrer d'une pincée de cendre. Dehors, on cherchera avec nos doigts cette poussière sanctifiante. Les enfants aiment bien ces symboles, ces rituels étranges d'une Église qui se faufile partout, dans le calendrier de l'année.

Un matin de mars, un samedi, on regarde le cheval du boulanger qui laisse tomber dans la rue ses énormes boules de crotte. Les moineaux guettent aussi sur les fils électriques. Un tramway passe en grinçant sur ses roues de métal. On a ramassé des billets de correspondance. Chacun garde jalousement sa pile. On fait semblant d'attendre le tramway, on se place comme des grands parmi ceux qui attendent. On amorce le mouvement de monter quand le petit escalier se déplie et, à la barbe du conducteur, on bifurque dans un grand éclat de rire. Stoïque, mais avec un regard qui en dit long, le conducteur donne le signal du départ en tirant sur sa sonnette. Le cheval du boulanger nous regarde.

La voiture est maintenant devant notre logis. Avec mon petit frère, je me précipite sur le balcon, précédant le boulanger. Celui-ci, avec sa casquette marquée Durivage ou Pom, grimpe l'escalier lestement et pourtant, il est chargé au maximum. Il a un pain tranché sous un bras, un autre en fesses sous l'autre bras, il tient, sur son avant-bras gauche, une tarte aux raisins, une aux bleuets et une autre aux fraises, sur son avant-bras droit nous admirons, langue sortie, un beau gâteau glacé au chocolat, un autre à la vanille décoré de cerises bien rouges et une paire de « roulés » comme on les aime tant. Il réussit à sonner, on ne sait comment. Maman apparaît, prête à résister d'instinct à nos cris, nos suppliques, notre insistance : « Oh ! m'man, achète un " roulé" au moins ! » Le boulanger contemple sa marchandise, fier et heureux de son effet sur nous. Ma mère est incorruptible. Elle a pris le pain tranché et commande une boîte de biscuits secs et un pain aux raisins. Nous courons vers la voiture. Raynald, mon frère, caresse la vieille picouille qui frissonne un peu. Il y a un petit gars dans la voiture qui voudrait bien, comme toujours, «faire un p'tit tour si-ou-plaît, m'sieur». Le boulanger le chasse. Il bouscule les tiroirs de son étalage intérieur, s'essuie le front avec la manche de veston de son uniforme et ramasse, d'un geste, les biscuits secs et le pain aux raisins «que papa aime tant».

De l'autre côté de la rue, il y a une autre voiture de boulanger. Plus belle, plus moderne, avec un moteur. Plus de cheval. Les gars l'admirent. On taquine notre boulanger : il est vieux jeu avec cette voiture à cheval. Il nous grogne quelques injures et s'en va. On regarde s'éloigner ce merveilleux coffre rempli de succulents gâteaux aux glaçages si épais! Un rêve : trouver une telle voiture qui aurait été abandonnée, la dévaliser tranquillement... On mangerait tous les gâteaux et les tartes au sucre, aux fraises, aux raisins, et on donnerait le pain aux plus pauvres du quartier, à ceux qui habitent ces maisons à un étage recouvertes de fausses briques en papier goudronné.

Un jour, le cheval du boulanger prend l'épouvante. Cris du boulanger, affolement des piétons, le cheval disparaît à l'horizon! On ne voit plus rien, il y a trop de soleil dans nos yeux. Et bang! un bruit. On court, on ose traverser la rue Bélanger. La vieille picouille brune est par terre, la grosse langue sortie, bavant d'affreux colliers d'écume blanche. Notre boulanger chiale, à genoux près de sa bête. Le timon de la voiture est fendu, les courroies sont brisées. Un policier s'amène, il nous fait reculer, il sort son pistolet, il tire dans la tête du cheval agonisant. Un tressaillement. On a tous poussé un cri de mort. Les policiers nous disent de nous disperser. Je m'en vais, le cœur en compote. Je regarde le Chinois derrière la vitrine de sa buanderie. J'entre dans la ruelle. Les gars sont partis dîner. Je suis seul. J'ai « les yeux pleins d'eau », j'aime tant les chevaux, moi. Mais un gars de dix ans ça ne pleure pas. Je donne un immense coup de pied dans une vieille poubelle et puis j'entends ma sœur Lucille qui crie à tue-tête : « Claude, dîner, Marcelle, dîner, Marielle, Claude, Marcelle, Raynald, Nicole, dîîîîîner, dîîîîîner. » Mais je n'ai pas faim. J'ai vu un être vivant se faire tuer pour la première fois de ma vie. C'est terrible cette mort du cheval emballé pour les enfants de la rue Saint-Denis, terrible !

Les enfants aiment les fêtes. Nous aimions donc la religion. Elle nous offrait des congés. Elle nous entraînait dans des cérémonies, dans un monde visuel certainement modeste, mais qui valait mieux que pas de cérémonies du tout. Ces fêtes religieuses s'ajoutaient aux profanes comme, par exemple, celle de la Sainte-Catherine, le vingt-cinq novembre. Encore un prétexte pour que la classe se transforme en un jour de fête. Excitation dès le matin. Attente. Et soudain, après la récréation de l'après-midi, le signal est donné. Le maître se transforme, il sourit, il va rire. C'est la grande détente : « Vous pouvez ranger vos livres, on va fêter. » Cris de joie. M. Gérard Sindon ouvre des boîtes de papillotes de tire. Il en jette de larges poignées dans nos pupitres aux couvercles relevés. Pas grand-chose... Et pourtant, quel enthousiasme s'emparait de nous ! M. Sindon a loué un projecteur et, délices suprêmes, il nous fait voir quelques films de Charlie Chaplin, de Laurel et Hardy et du Lone Ranger, notre cow-boy préféré avec Gene Autry ! La classe n'est plus la classe. Nous sommes

des écoliers heureux. Ainsi, chétivement, l'année scolaire est parsemée de trois ou quatre journées mer-
veilleuses. La Saint-Valentin en est une, avec nos
codes secrets, nos flirts innocents, nos échanges de
cartes rouges découpées en forme de cœur à l'intérieur desquelles on inscrit des mots doux qui nous
font rire : vocabulaire romantique, qui allait aussi
bien, aux gamins barbouillés de dix ans que nous
étions, qu'une robe de soie brodée aux « souillon-
nes » de coins de rues.

M. Sindon deviendra plus tard un peintre naïf,
un dessinateur primitif connu qui signera « Gécin »
ses images d'autodidacte. D'autres profs de la petite
école disparaissent de nos mémoires même. Comment se fait-il donc que l'on se souvienne bien du
frère Foisy et à peine de tit-cul Lemay ? Il y va selon
les qualités d'animateurs de ces petits pédagogues du
temps des petits salaires, des petites ambitions, des
petites routines. L'un, comme le petit père David,
nous a terrorisés assez pour que son souvenir soit
impérissable, l'autre, tel ce cher, ce doux, ce patient
Gérard Sindon de la quatrième année « B » de l'école
de la paroisse, nous a aimés assez pour que son nom
reste encore gravé dans la mémoire.

LES « MONSIEUR » DU QUARTIER

Il en va de même des voisins, des adultes, de ceux
que nous nommons automatiquement « monsieur ».
Comme pour les « ma tante » et les « madame » du
quartier, il nous reste, de ces hommes, des noms avec,
dessous, des portraits bien vivants encore malgré les

décennies écoulées. Des portraits bien imprimés. M. Dépatie, le bedeau, acteur de théâtre doué lors des
séances à sketches comiques du sous-sol de l'église
d'avant les bingos, seule dramaturgie de cette époque
pauvre. M. Damecour, qui tient la quincaillerie de la
rue Bélanger et qui nous dit, à nous, petits voyous
pourchassés : « Monsieur ? qu'est-ce que ce sera pour
vous mon petit monsieur ? » Ce Suisse nous redon-
nait un peu de valeur, de dignité. J'acceptais toujours
d'aller acheter, pour papa-bricoleur, des clous, du
plâtre, de la térébenthine, un marteau, de la « broche
à poules » au « magasin de fer » Damecour, juste
pour le rare plaisir de me faire appeler « monsieur ».
Il y a M. Laroche, le distrait professeur et directeur
de l'institut Laroche. On s'amusait de le voir toujours soulever son chapeau au passage des dames, de
le voir s'allumer une deuxième cigarette pendant que
l'autre brûlait entre ses doigts, de le voir chercher sa
manivelle à « crinquer » sa Buick '38 bleue alors
qu'elle lui pendait au bout de la main. M. Besner, le
pharmacien, qui parlait plus souvent de peinture
paysagiste que de sirop et de pilules. M. Lanthier qui
consentait à nous prêter un de ses petits soldats de
plomb, un parmi les dizaines et les dizaines de sa
fabuleuse collection. M. Lanthier qui alla, le premier,
s'engager dans l'armée quand la guerre fut déclarée.
M. Lanthier que nous admirions dans ce si bel uniforme kaki, et qui sera envoyé, avec d'autres Québécois, à la boucherie des plages de Dieppe pour en
revenir grièvement blessé, mutilé. Il y a M. Turcotte
et son air digne, obligé. Directeur des salons funérai-
res de notre rue, il a toujours sa figure austère, il ne
sourit jamais… Deuxième nature ? Il nous fait un peu

peur quand on le voit, dans la ruelle, toujours vêtu de noir, accueillir une dépouille mortelle. Un jour, il est venu vers nous, on a stoppé net notre partie de « moineau ». Sans le moindre sourire, il nous a dévisagés, à tour de rôle. Allait-il nous apprendre la mort d'un camarade ? Il nous dit : « Vous savez, j'aime la jeunesse. J'aimais beaucoup jouer quand j'avais votre âge. Pourriez-vous aller jouer au « moineau » plus loin ? Mes clients entendent vos cris et vos rires jusque dans mes salons d'en avant. Voulez-vous ? S'il vous plaît ? » Il s'en retourna sans rien ajouter, toujours froid, poli, sec, grand, noble et digne, étrange silhouette d'homme mieux habillé que la plupart de nos pères, et remit le crochet sur la porte de sa clôture peinte d'un beau gris perle immaculé, la plus belle palissade de la ruelle. La mort nous était rappelée ainsi, dans toute sa réalité onctueuse, au milieu de nos cris de barbares en liberté folle, au milieu de notre intense vivacité d'enfants qui ne mourraient jamais, ou dans un temps si éloigné... si éloigné...

Il y a M. Scheffer et ses lapins morts suspendus à la devanture de sa boucherie. M. Peter qui fait la tournée de ses salles de billard louées à l'heure, antres du jeu où l'on n'a pas encore accès, d'où sortent de la fumée, des jurons de débardeurs, et des jeunes gens au visage cireux sous de larges feutres à la mode du temps, vêtus d'habits roses, verts, aux épaules largement rembourrées, au pantalon serrant les chevilles, aux souliers toujours frais cirés, pointus comme des lances. Il y a M. Fortin, soucieux de la bonne marche de son *business college* pour apprenties sténodactylos, jeunes filles dont les contours graciles nous faisaient parfois songer à des amours encore confuses et inexplicables. Il y a M. Audet et sa passion du jeu. Il y avait M. Théoret et ses gros cigares entre ses gros doigts jaunes et qui lançait, à des distances inouïes, de longs crachats jaune tabac. Il y avait M. Cloutier, l'embaumeur du troisième étage qui, au contraire de M. Turcotte, riait tout le temps, racontait sans cesse des farces, quêtait des blagues à mon père, aux voisins. Tout rondelet, pas plus haut qu'un grand nain, il partait, à toute heure du jour ou de la soirée, avec sa valise noire mystérieuse, pour son mystifiant travail quotidien. Il nous saluait toujours avec emphase, simples gamins que nous étions. Nous lui répondions avec réserve, croyant qu'il ne devait pas être salutaire d'être liés de trop près avec ce croque-mort hilare !

Il y a encore M. Turgeon et M. Bourdon, chacun tenant boucherie rue Jean-Talon. Ils sortaient souvent prendre l'air, mine de rien, pour aller fureter devant les vitrines du concurrent. Et nous, on voyait voltiger les annonces de prix inscrits sur des papiers d'emballage collés aux vitrines. Ainsi, « partie de fesses, 19 cents la livre » pouvait baisser à 15 cents. On aimait bien lire tous ces mots étranges qui décrivaient surtout des parties d'animaux morts : gigots d'agneau, steak de bœuf rouge, saucisses de porc, jarret de mouton, pieds de cochon. On était un peu intrigués par ce vocabulaire et par ces prix qui dansaient, qui variaient, qui grimpaient, qui baissaient ! Ça n'a pas changé !

TROISIÈME PARTIE

« Glace en haut, glace en bas »

Quand l'hiver prenait fin, certaines années, abruptement, quand la fin de mars était faite de jours de douceur, on voyait réapparaître les vendeurs de glace. Nos parents avaient déjà reçu la carte rouge du vendeur Foti de la rue Villeray, et la blanche des Turgeon de la rue Saint-Vallier. Fini alors le temps de remiser les denrées périssables dans l'armoire froide du balcon arrière, ou entre les fenêtres doubles de l'hiver. La glacière allait de nouveau servir jusqu'en novembre ou décembre prochain. Comme, pour la porte avant, il y avait deux cartes, une pour le boulanger, l'autre pour le laitier, il y avait, pour la porte arrière, une carte pour acheter la glace. Marquée 25 livres d'un côté, 50 livres de l'autre, cette carte devait être placée bien en vue dans le haut de la fenêtre de la cuisine.

L'apparition de Foti-la-glace était la bienvenue. Il s'amenait, avec son vieux camion bruyant aux freins grinçants, un œil au volant, l'autre en l'air à l'affût des cartes rouges. Comme il y a plusieurs ménagères oublieuses et que parfois, aussi, il change son horaire, il lui faut donc crier pour s'annoncer. Et il crie à tue-tête, à assommer un demi-sourd : « Glace en haut, glace en bas », ritournelle courte qu'il répète sans arrêt à tous les deux logements. Une porte s'ouvre, une tête apparaît : « Oui ! » Et il réplique : « Vingt-cinq ou cinquante, un gros ? » La bonne femme dit :

« Un petit. » Et Foti ou son adjoint referme sa grosse pince noire sur un des blocs et il fonce, il n'y va pas, il fonce dans l'escalier en bois et en colimaçon, vers la cliente. Dans ce métier, il faut faire vite. C'est pas assez payant pour « lambiner ». Quand Foti et son assistant sont partis livrer la marchandise, nous on s'installe sur le marchepied arrière du bazou et, avec un canif, un pic ou un gros clou de six pouces, on se taille des glaçons. On se sauve dans un racoin pour aller sucer les morceaux de glace d'avant les popsicles, les *fudgicles*, les *revels*. Quand Foti nous surprend en revenant plus vite que prévu, il nous flanque une mornifle : « Sacrez-moé vot' camp, mes p'tits calvaires. » Et on disparaît.

Soudain, spectacle ! Voici venir le camion aux cartes blanches, celui du concurrent Turgeon. Et Turgeon, en plus d'avoir un plus gros véhicule, a aussi une voix plus sonore, plus grave ! Foti s'énerve. Il faut garder l'avance. Nous assistons toujours à ce match, juchés sur la clôture de la cour. Nos cris tentent d'encourager les belligérants. Turgeon est maintenant rendu juste derrière Foti. Celui-ci fait du zèle, gueule plus fort que l'autre : « Glace en haut, glace en bas ! » « Oui. » « Un gros ? » Il fonce. Mon Turgeon pèse sur le gaz, dépasse Foti et crie de plus belle : « Turgeon la glace, glace Turgeon. » C'est son tour, maintenant, de rafler les clients. Et on applaudit, on jouit de ce spectacle inusité, celui, pourtant sérieux et grave, d'une sérieuse et grave bataille commerciale. Foti saute au volant de son camion, démarre en trombe, ne se souciant plus des parasites grugeurs de glace que nous sommes. Il dépasse, à son tour, Turgeon qui livre des blocs, un dans chaque main, et il gueule victorieusement : « Glace en haut, glace en bas, glace ! »

Et la lutte âpre se poursuit. On est gavés de nos sucettes gratuites. Maintenant, les deux lutteurs et leurs cris sont loin, ils vont traverser la rue Bélanger, au sud. Un jour viendra, bientôt, où une diabolique invention fera taire leurs sacres et leurs cris : le « frigidaire » ! Déjà, ici, la femme du notaire Décarie, celui qui nous chasse toujours de ses belles pelouses si bien tondues, celui qui collectionne des magazines de filles en petite tenue, déjà, Mme Décarie fait voir, à des voisines privilégiées, son réfrigérateur Kelvinator, modèle 1940.

Les beaux jours de Foti et Turgeon sont comptés. Nos glaçons d'eau, de lacs inconnus et peut-être pollués, sont comptés. Et ces magnifiques courses de ruelles, elles aussi, sont comptées.

ON RAMASSE UN PEU DE TOUT...

Nous ramassons tout. Pourquoi ? Je ne sais. Tout nous est objet d'intérêt. Il y a donc cet amoncellement de correspondances de tramways, il y a aussi nos collections de paquets vides de cigarettes. Nous avons nos préférences, nos couleurs favorites, notre marque de prédilection même : les « Turrets ». À quoi cela tient-il donc ? Je ne sais. Nous marchons, le long des caniveaux, sur les trottoirs, et nous guettons. Nous guettons toutes choses. Un jour, c'est une collection d'allumettes consumées, un autre jour, ce sont des bâtons de sorbets glacés, de popsicles, de *fudgicles*, de *revels*. Une autre fois encore, ce sera le tour des vieilles mâchées de gomme. Et ce sera la punition en règle quand maman apprendra que l'on se fait d'énormes boules de ces galettes sales que nous décollons de l'asphalte des trottoirs avec un couteau de cuisine. « Petits maudits cochons ! Êtes-vous fous ? Les microbes ? Vous allez attraper les pires maladies ! Non mais vraiment, vous êtes des beaux petits niaiseux ! » C'est la colère noire ! Elle nous envoie nous agenouiller dans « le coin » pendant une heure, puis, ce sera la retenue à la maison pour le reste de la journée, finalement, quelle misère, la balance de la semaine se passera sur le balcon avec interdiction de descendre, ne serait-ce que dans le petit parterre de gazon.

Manie de ramasser. Plaisir d'accumuler : cartes de ceci, de cela, joueurs de hockey, de baseball, acteurs et actrices d'Hollywood, collection de boutons d'uniformes, collection de cailloux brillants. Cailloux qu'on appelait aussi « roches chanceuses ». Nous en cachions dans les goussets de nos manteaux d'hiver, sûrs qu'elles se changeraient en beaux sous tout neufs. On y croyait, ma foi. Ainsi, l'on s'inventait des petits miracles, des fétiches porte-bonheur ou porte-malheur. L'enfant aime les superstitions. Nous allions jusqu'à enterrer des jouets, des poupées pas trop neuves, des oursons de crin, des chiens en peluche, sûrs que l'année suivante, en les déterrant, ils se seraient métamorphosés en vrais bébés, en ours et en chiens bien vivants. On y croyait, ma foi. Ma foi, on croyait vraiment qu'on y croyait ! Nous avions aussi des codes, des gestes à poser, des signaux à donner pour tuer l'ennemi de l'autre cour, pour gagner à tous les jeux ou bien pour faire perdre l'adversaire. Ainsi, frapper deux fois trois coups sur la tôle rouillée du grand placard du coin nous garantissait un score infailliblement victorieux à la *tag* ou à *branch a branch*.

Mon imagination s'excite, j'invente des contes d'horreur, je terrifie ma sœur cadette, Marielle. « Tu vas la lâcher tranquille », me dit maman, « je vais te flanquer pensionnaire dans un collège. » Je restais tranquille. « Pensionnaire », comme les timides frères Lebœuf, ce doit être horrible. Et comme je serais ridicule dans un de ces uniformes de fifi-à-sa-maman. Je reste tranquille.

✽

✽   ✽

Mars passera vite. Avril aussi, en fin de compte. Après, ce sera enfin l'été, les vacances, le jeu à cœur de jour, durant des semaines. En attendant, il faut étudier et réussir des devoirs, bien savoir ses leçons, obtenir au moins soixante pour cent des notes. En attendant les vacances, il faut bien vivre et surtout bien occuper nos rares heures de congé, bien en profiter, cela en devenait presque une hantise ; nous étions nerveux, le samedi matin, quand nous sortions, après le déjeuner aux toasts et confiture, pour entamer la fin de semaine. C'était la panique quand le samedi s'achevait, que le soleil se couchait, tout rouge, derrière la cordonnerie de Pascale Colliza. Une véritable panique, car le lendemain, c'était dimanche, journée de demi-liberté pour nous à cause du sempiternel « Allez jouer en avant, c'est dimanche, et ne vous salissez pas », de maman. C'est alors que nous inventions nos jeux à partir de nos fameuses collections en toutes choses. Et puis, l'on se promenait, l'on marchait. L'avons-nous assez arpenté le trottoir qui faisait le tour de notre immense pâté de maisons! Rue Drolet, nous nous amusions d'entendre parler les Italiens de «Notre-Dame-de-la Défense».

Un beau dimanche, Yvon me tire la manche du gilet: «Regarde, dans la fenêtre, l'autre côté de la rue!» Je regarde. Je ne vois rien. Il précise: «Là, regarde la drôle de chose dans la fenêtre du deuxième, juste au-dessus du collège Fortin.» Je cligne des yeux et je vois, moi aussi. Oui, c'est une drôle de chose en effet. C'est horrible. «Mais, Yvon, qu'est-ce que c'est que ça?» Yvon sourit bêtement et pointe du doigt cette citrouille à visage humain qui nous regarde. On va chercher Gilles et Roland. On n'en revient pas. Une femme vient poser une main sur cette grosse tête. Elle nous aperçoit et tire les rideaux de dentelle brodée. Les petites Matte sont maintenant avec nous. Juste en face, de notre côté de la rue, il y a Rita qui devait, de son poste habituel, voir aussi cette drôle de grosse tête. La femme sort sur son balcon: «*Move, please, move somewhere else.*» On rigole. Elle a l'air furieuse: «*Young bastards.*» On lui gueule: «*Don't speak English, don't speak English!*» On aborde le professeur Laroche, celui qui fume deux cigarettes à la fois et qui salue toujours tout le monde en soulevant sans arrêt son chapeau de paille à ruban noir, on lui demande pour la grosse tête: «Qu'est-ce que c'est, un monstre?» On est excités. On vient de découvrir un divertissement étonnant, inédit. Mais M. Laroche, désappointant, nous dit d'un ton désabusé: «C'est un petit garçon mongol, ce n'est rien, c'est assez fréquent. » On se regarde ! Le professeur grimpe dans son tramway numéro 24, il ne sort sa Buick bleue qu'en avril, pas un jour plus tôt. « Un garçon mongol ? » On n'a jamais entendu parler de ça ! On s'en va. Mais on reviendra. Cette affaire n'en restera pas là. On reviendra examiner ce phénomène quand la vieille chipie aura fini de nous crier par la tête : « *Come on, scram, scram, bunch of sons of a bitch !* » Elle perd son temps, on comprend pas un mot de ce qu'elle dit. « Un enfant mongol ! » Je vais en parler à papa, il sait tout.

ZÉRO DE CONDUITE

Nous autres aussi, comme les grands du « boute », on ira, un jour, seuls, à pied, jusqu'à l'horizon, jusqu'à l'école La Mennais, jusqu'au parc Boyer. On ira même, un jour, jusqu'au tunnel du chemin de fer, rue Bellechasse, rue de Fleurimont. On n'aura pas peur. Nos parents ne pourront plus rien nous défendre quand nous serons devenus « des grands ». On n'entendra plus ces jérémiades : « Suivez pas les grands, ne faites pas comme les grands » et « vous prenez-vous pour des grands ? » On sera des grands, un jour. Notre tour viendra. Et alors, on le prendra le tramway Saint-Denis et on filera jusqu'au Sault, on filera jusqu'à Montréal-Nord, là où il y a des côtes fameuses, les Hirondelles tant vantées par les grands de treize, de quatorze et de quinze ans. On en faisait des projets. L'aventure nous guettait. Assis sur le bord de pierre du trottoir, nous nous promettons

de grandes odyssées, oui, un de ces jours, on osera
« jumper » un train derrière la gare Jean-Talon, au
fond du parc Jarry. On pourra alors voir le vaste
monde, on pourra visiter les grands lacs de l'Ontario
dont nous devons retenir les noms à l'école. Et puis,
aussi, on aura un grand canot et on descendra le
fleuve Mississippi comme les Marquette, Jolliet, La
Vérendrye et Cavelier de La Salle. L'« Histoire » du
petit manuel nous énerve. C'est fatigant de lire les
exploits des autres et de rester ici, confinés à un seul
coin de rue, surveillés par nos mères, ne pouvant
explorer qu'en compagnie de papa à qui nous devons
donner la main. Je regardais les bourgeons qui poussaient aux branches des arbres et je me disais : « Si on
pouvait grimper au moins »… Je rêve d'être Super-
man ou l'Homme-Araignée, je rêve d'avoir les ailes
d'un ange, je rêve de m'envoler, d'aller planer dans
tous ces gros nuages de ce beau mois d'avril !

Un jour, je me décide à grimper, à découvrir. Il
nous fallait une bonne cachette pour lire nos « comiques » tranquilles, pour éviter les plus petits qui nous
suivent tout le temps. Et j'ai trouvé. Sur les toits ! Là-
haut, sur les toits des maisons, un abri merveilleux.
Un vrai paradis ! La bande est excitée. On y va souvent, maintenant. Voici le chemin. D'abord, il faut
réussir à traverser la rue. Entre le collège Fortin et le
restaurant Peter's, il y a un passage qui mène à la
ruelle. À mi-chemin, stop. Vous ouvrez la porte de la
cour à votre gauche, juste en arrière de la Banque de
Montréal. Pour le crochet, il faut monter sur une
poubelle, vous étirez bien le bras et hop ! décrochez.
Il faut savoir marcher dans cette cour. En souplesse.
Comme un chat, sur la plante des pieds. La Banque y

a fait jeter du beau gravier et c'est bruyant. Il y a le chien de chez Peter's, mais vous ne vous occupez pas de ses jappements, il est bien attaché. Vous ouvrez la porte du tambour qui donne sur l'escalier de bois conduisant aux hangars des étages. Vous montez en ayant bien soin de laisser la porte d'en bas entrouverte. Quand la clarté est épuisée, il faut frotter une allumette. Une seule sera nécessaire. Quand elle vous brûle les doigts, vous êtes rendu. Il faut avoir le tour, c'est en spirale et les marches sont petites. Là-haut, vous découvrez, à tâtons, une sorte d'étroite plateforme à vidanges, à votre gauche. Ça mesure trois pieds sur deux de largeur. Vous grimpez dessus. Silence! Là, accrochée au mur, se trouve une petite échelle bien clouée. Il y a cinq barreaux. Au quatrième, déjà, vous allongez le bras au-dessus de votre tête. Palpez, vous sentirez une sorte de petite trappe, dix-huit pouces par vingt, pas plus. Une pression de la paume, soulevez, et ça y est.

Ce soir-là, le ciel nous faisait signe de ses milliers d'étoiles. La cime des arbres de la rue Saint-Denis se balance dans le vent de ce beau soir du début d'avril. Tout autour de nous, des toits, à perte de vue. Le bruit du trafic, en bas, nous parvient comme plus feutré. C'est le refuge parfait. On y est bien tout de suite. Au-dessus du monde. Introuvables pour les autres, ce soir-là, Yves Dubé et moi sautons lestement de maison en maison. On peut se rendre jusqu'à la rue Jean-Talon. Il faut être précautionneux, ne pas se faire entendre des locataires des troisièmes. Nous sommes deux jeunes Fantomas! Nos *running shoes* sont bien pratiques. On aime bien aller vers le coin Jean-Talon, c'est moins clair qu'ici où il y a les enseignes

géantes et les marquises aux mille ampoules des cinémas Rivoli et Château. Il n'y a que les néons tout
neufs du pharmacien et ceux de Mme Lafleur, fleuriste. Comme ces enseignes dépassent un peu les
toits, on a juste assez de clarté pour lire nos *comic
books*. J'aperçois papa qui jase avec M. Turcotte, en
inclinant tout le temps la tête, à sa manière. Mme Devault s'accoude à son balcon. Le notaire Poirier fume
son cigare. Mlle Thisdale promène son petit toutou
jaune, Mme Cormier parle toute seule sur sa galerie et
Mme Décarie se berce dans sa large chaise. On est
bien là-haut. On est au-dessus de tout. On règne. On
est deux petits rois cachés.

« C'est beau en titi, vu d'en haut, hein ? » Yves
apprécie ce nouveau refuge. Il examine les acrotères
qui décorent les rebords des maisons. Il lance des
petits cailloux décollés du papier goudronné, il a lu
tous les « comiques ». Soudain, ce fameux soir
d'avril, quelqu'un !

Il y a quelqu'un là-bas, d'où nous venons ! Qui
nous a suivis ? C'est un adulte. Haute silhouette. Il
regarde derrière lui, se penche, rampe un peu, se
relève. Il se frotte le genou. Il boite un peu. Une cloche d'alarme se met à résonner dans l'air. « C'est la
cloche de la Banque », me dit Yves. On la connaît
bien, souvent, par jeu, nous la déclenchions en se-
couant violemment la porte à l'arrière, juste pour
voir arriver la radio-police. « J'ai peur, Claude. J'ai
peur ! » Je lui dis de se taire : « Il ne nous a pas vus »,
et nous nous blottissons derrière la plus grosse che-
minée du coin. Au milieu des toits, il y a un trou. Cet
espace au sol permet aux locataires d'atteindre les
garages sans faire le tour des blocs de maisons. Nous

connaissions ce vide et nous le contournions chaque fois, mais l'inconnu, dans le noir, n'a pas vu. Un cri retentit. Il est tombé. L'homme s'était retourné et puis il a disparu. Un cri seulement et ce vieil imperméable beige, sali, qu'il tenait à la main. On s'approche. On ne touche pas le manteau. À genoux, on se penche. En bas, dans l'entrée pavée, nous le voyons, étendu, qui se lamente en se tordant. Des gens viennent, traversent la rue. Des lumières s'allument partout sur les balcons, derrière les fenêtres. Des murmures montent vers nous. Quelques curieux lèvent les yeux au ciel, vers nous, vers cet espace entre les toits. On a peur. Yves renifle, je sens qu'il va sangloter : « On s'en va, viens, on s'en va ! » Il a raison, mais mes genoux tremblent, mes jambes sont molles. Nous finissons par redescendre à l'aide de la petite échelle. Les allumettes s'éteignent. Le chien de chez Peter's jappe. La cloche de la Banque résonne toujours. La sirène de la police éclate soudain. Des phares balaient la ruelle. On n'ose plus sortir du tambour. Un policier scrute le gravier de la cour avec sa *flashlight*. Dubé se met à pleurnicher. Je lui donne des coups de coude. Une voix dit : « Par où a-t-il pu passer ? » On retient notre souffle. Ils s'en vont, toutes sirènes ouvertes, quand un curieux vient leur crier : « On l'a trouvé, on l'a trouvé, il est tombé des couvertures ! » Nous faisons un détour vers Jean-Talon, par la ruelle, pour brouiller les pistes. S'il fallait qu'on nous prenne pour des complices ! « Es-tu fou toé, des petits gars de dix ans ! » Dubé a raison. On est innocents. On est que des p'tits gars de dix ans. À terre, on redevient fragiles, modestes. On ose marcher jusqu'à la maison du Dr Saine, c'est noir de monde. Je donne la main à papa, Dubé se colle sur nous. « C'est un accident », dit papa. M. Turcotte se retourne et dit : « Il n'est pas mort. » Un client de moins pour lui. Le professeur Laroche affirme : « Il s'agit d'un vol. » Je risque : « Mais oui p'pa, c'est un voleur, t'as pas entendu la cloche d'alarme de la Banque ? » Mon père me remarque alors, il me regarde comme il faut et il dit : « Écoute donc toé, où c'est que t'étais, tu sais que ta mère crie après toé depuis une heure. Il est neuf heures, le sais-tu ? » Je serre sa main : « Oh ! p'pa, y a pas d'école, c'est samedi demain. » Dubé s'en va chez lui quand le policier finit de glisser la civière du bandit dans l'ambulance de l'hôpital Sainte-Justine. On va en rêver. Avant de s'en aller, Dubé m'a dit, tout bas, dans l'oreille : « On est mieux de pas remonter là, on sait jamais, t'as vu ? » Je pense aussi qu'il faudra se trouver une autre cachette moins risquée. Ce ne sera pas facile. Ma mère est sur le balcon : « D'où c'est que tu viens, p'tit velimeux ? » Mon père lui dit de se calmer : « Il a pas d'école demain, sa mère. » Et il explique à maman et à mes sœurs qui sont venues nous rejoindre : « On n'a rien vu mais il paraît que c'était un voleur. On n'est pas sûrs. On a juste vu un gars qui est tombé des couvertures. Il devait se cacher en haut. Tu parles d'une cachette. Ils craignent rien ces petits maudits *bums* là ! »

J'en ai assez. Je rentre doucement, sur la pointe des pieds. La vie est palpitante. Je retournerai là-haut une autre fois, au moins. Le temps d'aller chercher un imperméable sali. Je le mettrai dans ma cachette du hangar, et quand on fera une séance avec des voleurs et des policiers, je le porterai. Ça fera tout un effet !

Le quasimodo de la patinoire

Les jours sans histoire sont bien plus nombreux. La neige a fondu malgré les tardives tempêtes de la fin de mars. Il en reste quelques tas dans des coins sombres de la ruelle, dans certains parterres du côté ouest de la rue. Je regarde les jolis bouquets naturels des deux peupliers de la cour des Dubé. Que de bourgeons ! « Qu'est-ce que t'as à rêver aux corneilles, le nez en l'air ? » Et je reste toujours penaud, comme honteux, quand un gars de la gang me surprend dans mes songes. Je veux, j'y tiens, ressembler aux autres. Quand on est jeune, on n'a qu'un but : être tout à fait comme les autres. On cache ses rêveries autant que possible. C'est fou. C'est bête. La découverte de notre personnalité nous gênait, nous troublait, pauvres orgueilleux que nous étions. Et chacun de nous enfouissait déjà ses songes, ses rêves creux, ses espoirs démesurés. Il ne faut surtout pas être ridicule. Et ce sera pire encore dans l'adolescence. « Viens, on va aller achaler le bossu du Shamrock. » J'y allais, il faut suivre les autres le plus souvent possible, mais le cœur n'y était pas.

La patinoire est dégelée. C'est un vaste bassin. L'eau de la glace fondue recouvre tout le terrain. On a nos bottes noires avec des rebords rouges, rouges comme des « fouettes » de réglisse rouge. Il est là, lui, le monstre, dans sa cabane de planches peinturées vertes. On s'approche par derrière. « Ensemble », souffle le grand Godon. On frappe sur la cabane avec des branches d'arbres cassées. Beau tintamarre. Victoire ! « Quasimodo » sort de son antre en traînant sa jambe paralysée. On se sauve. Il nous poursuit. On a

peur, c'est délicieux. Il a son gros nez rouge d'ivro-
gne, ses cheveux hirsutes. Il gueule : « Bande de petits
vauriens ! Si je vous pince, je vous tue, je vous écrase
avec ma pelle. » Et il court en boitant. Nous l'entraî-
nons sur la glace fondue en lui criant nos injures cou-
tumières : « Essaye de nous attraper le bonhomme,
vieux singe, vieille toupie ! » Je me tiens loin, je
m'imagine que cet infirme a sûrement des pouvoirs
diaboliques. J'ai peur. Deveault est bien brave. Il ose
l'approcher, il est presque dans son dos, il le pique
avec son bâton ! Oh ! Le quasimodo a fait une pirouette
et le voilà par terre. On se tait subitement. Il a son
gros visage dans l'eau de la patinoire. Il hurle, il râle.
Il réussit à se relever, Godon s'en approchait trop.
J'ai honte. J'aurai souvent honte ainsi. Silence. Il ne
faut pas avoir l'air d'un petit fifi. « La police s'en
vient, la police s'en vient », crie le bossu en pointant
le doigt vers la rue Saint-Dominique. « Y a menti, y a
pas de téléphone dans sa cabane », lance Godon.
« Quasimodo », dégoulinant, rentre dans sa cage. On
a eu bien peur. Cruauté des enfants qui s'embêtent.
Mécanique sordide et perverse de l'ennui.

*

*   *

Depuis que la neige a fondu, on redécouvre les
choses. On a retrouvé les feuilles mortes de l'automne dernier. On en fait des tas énormes. Le soleil
printanier les a vite séchées. On se roule dedans
comme des fous. Bain de nature morte qui nous fait
du bien. Cela bruit comme des céréales qu'on écrase.
Je me roule et je me souviens de la beauté fascinante,

à l'automne, en octobre, de ces feuilles tombées que la pluie a collées sur les trottoirs. Jolie tapisserie de motifs verts, jaunes, rouges. Véritables diamants rutilants que ces feuilles d'érable épointées, mouillées, luisantes. « À quoi tu rêves encore ? Eille, réveille, réveille, c'est ton tour ! » Je me réveille et c'est mon tour de sauter, du garage d'André Hubert, sur cette molle montagne de feuilles ramassées. J'aime sauter. Nous sautons souvent et toujours de plus en plus haut, d'année en année. Nous aimerions tant pouvoir voler. Au moins aller en avion. Faute de mieux, nous sautons, nous voltigeons de balcon en balcon, d'escalier en escalier, nous sautons prodigieusement des galeries des cours. En quelques minutes nous pouvons parcourir, à des vitesses folles, avec une agilité inimaginable, toute la ruelle à partir de la cour des Dubé, coin Jean-Talon, jusque chez Morneau, coin Bélanger. « Pas même un tigre, une panthère de la jungle arriverait à nous pogner, pas vrai, Vincelette ? » C'est bien vrai.

LE ROYAUME DU DOCTEUR KNOCK

Le laitier fait tinter ses pintes de lait, ses demiards de crème, ses chopines de lait au chocolat. Ses paniers métalliques sont bien pleins. La rue est encore déserte, tranquille. Hier, c'était le grand jour du poisson d'avril. On a joué à jouer des tours. Il y avait des poissons de papier découpé partout. On a bien ri. Les professeurs y ont passé. Aujourd'hui, c'est congé. C'est samedi. On sort le plus tôt possible pour bien en profiter, c'est important. Mon frère est malade, c'est le temps des grippes, des méchants rhumes pas soignables. Le Dr Mousseau est venu à la maison. On a peur de lui. On se sauve quand il vient. Il veut toujours ausculter tout le monde. C'est plein de docteurs ces temps-ci. On les voit passer, rue Saint-Denis, avec leur petite valise noire. Dubé est au lit. Le Dr Mongeau est allé le voir. En sortant, il a jasé un peu avec le Dr Mousseau au coin de la rue. Il y a beaucoup de docteurs dans mon quartier. Ainsi, en plus du Dr Mousseau et du Dr Mongeau, il y a le Dr Richer, le Dr Lemire, notre voisin, le Dr Saine, juste en face de chez nous. Le Dr Montour. Pour les Anglais de la rue Faillon, il y a le D^r McLaughlin, pour les Italiens de la rue Drolet, il y a le Dr Panaccio, le Dr Mancuso, le Dr Martucci, le D^r D'Anna. Pour le chien de la veuve Simard et celui de Mlle Thisdale, pour les chats de la mère Cormier, il y a le Dr Leclerc, vétérinaire. Il y a aussi le Dr Bédard qui va passer tous ses hivers au Mexique, le mystérieux Dr Bédard dont les couloirs de sa sombre maison sont ornés de têtes de chevreuils. C'était le royaume du Dr Knock en ce temps-là. Mais il y a pire que rhumes du printemps et grippes malignes, il y a les maladies contagieuses.

Quelle horreur de voir les écriteaux officiels placardant les colonnes de bois d'un balcon. Tenez, c'est la quarantaine chez les Légaré. On ne peut plus jouer avec eux. Ils sont tabous. « Que je vous prenne pas à rôder par là », clame maman, « ils ont la rougeole dans la maison. » Chaque fois, c'était comme la peste du Moyen Âge. Les noms de ces maladies nous intriguaient : diphtérie, coqueluche, variole ou petite vérole, oreillons, scarlatine, varicelle ou picote volante, noms bizarres qui nous clouaient le bec. Nous n'allions pas jusqu'à souhaiter une de ces maladies, mais quand un bon rhume frappait l'un d'entre nous, nous étions envahis d'une joie secrète. Je le répète, maman allait enfin nous accorder une attention toute spéciale. Maman allait nous acheter un jouet, un cahier à dessins, une boîte de craies de cire neuves, pas cassées en « petits bouttes ». Une bonne grippe était donc la bienvenue en cours d'année scolaire. Mais nous n'aurions pas voulu être la victime de ce mal effrayant, qui n'avait même pas de nom, et qui empêchait Rita de jouer comme tout le monde.

Depuis le mois d'avril, avec le temps plus doux, elle avait le droit de se promener devant la maison, bien emmitouflée, et ma sœur Lucille, grand cœur comme toujours, acceptait volontiers de lui servir d'escorte. La garde Desautels, sage-femme de maman, les regardait passer en hochant la tête et disait : « Vous allez voir, elle ira mieux et puis ce sera la fin. C'est une maladie qui ne pardonne pas. » Maman s'essuyait un œil avec le coin de son tablier et murmurait, prudente, inquiète : « Vous êtes bien certaine que ça s'attrape pas, garde ? » L'infirmière la rassurait.

Alleluia, avril, alleluia !

Avant que vienne l'été, avant qu'arrive juin et la frousse des examens de fin d'année (« Je vas-t-y monter ou si je vas redoubler mon année ? »), il y a encore un temps d'arrêt, une fête, religieuse bien sûr. C'est Pâques. C'est aussi la Semaine sainte, donc beaucoup d'ouvrage pour les enfants de chœur. Des répétitions, des séances d'essayage, comme pour notre théâtre de fond de cour, afin de bien répartir les soutanes spéciales, les cordons, les calurons, les surplis doubles : l'un en coton empesé, l'autre en soie fine, en dentelle ajourée, que l'on endosse par-dessus le premier. Les flambeaux sont vérifiés, je trouve ça si beau, il faut faire reluire les globes de verre : les rouges, les verts, les jaunes, les bleus. Messes compliquées du Jeudi saint à deux, à trois prêtres, à servants thuriféraires, à diacres et à sous-diacres. L'orgue éclate en flots lourds, tumultueux. Chants grégoriens d'une somptueuse tristesse : « Agneau de Dieu… Seigneur prends pitié de nous »… J'écoute, je regarde. Tout ce faste aux accents mélancoliques me fascine. Encore une fois, nous allons crucifier le Fils de Dieu. Cérémonie envoûtante du Vendredi saint : ces hommes qui se prosternent, qui se couchent au pied de l'autel, cet encens qui excite mon odorat, cette musique qui est lamentation, ces tentures sur les murs, dans les fenêtres, suspendues aux énormes colonnes du temple, ces statues aux cagoules violettes ou noires, je frissonne. Des bancs du chœur, je vois bien tout ce cérémonial de pénitence, je suis comme privilégié, je ne participe pas tout à fait aux accusations des sermons de la Semaine sainte, je fais un peu partie des officiants. Je suis un peu acteur, un peu dans les secrets des coulisses. C'est ici que pourrait me prendre, à jamais, le goût de concevoir des décors, des drames ou des comédies étranges.

*
* *

On disait: «Le carême est fini!» Fini le long jeûne de quarante jours! En fait, qu'allions-nous donc trouver de si différent sur la table de la cuisine? Il y aurait encore des fricassées, des gibelottes comme on les appelait; il y aurait toujours des repas à la galette de sarrazin que maman faisait si bien et que l'on arrosait de mélasse presque noire; il y aurait aussi des repas au pain doré, aux crêpes pas chères; il y aurait toujours le grand chaudron quotidien de bonne soupe grasse, épaisse, nourrissante. «C'est de la soupe à quoi, m'man, aujourd'hui?» Et elle répondait toujours: «Laisse faire à quoi, pis mange.» Elle aurait été bien embêtée de le dire car ces bonnes soupes empiriques, si soutenantes, surtout durant nos rigoureux hivers québécois, étaient faites de restes divers. On y trouvait de tout: un jour, c'était des morceaux de veau, de patates, de carottes; un autre, c'était du céleri, du vermicelle et des restes de lard ou de bœuf. Un régal quand on rentrait manger après nos turbulentes récréations.

Pâques s'amenait. Beau jour de soleil, beau matin quand l'on pouvait, certaines années, étrenner une pièce de vêtement: pour Marielle, une robe en organdi avec broderie en nid d'abeilles, pour Marcelle, une jupe en taffetas et une blouse de soie, pour Lucille, un costume de laine. Cadeaux des tantes dont les filles ont grandi trop vite, peu importe, cela semblait si neuf. Mes sœurs paradaient fièrement en avant. Mon frère restait assis dans les marches de l'escalier, fasciné par cette paire de souliers de cuir *patent* qui brillaient au soleil de ce dimanche de Pâques. Moi, je marchais lentement pour ne pas froisser ce premier pantalon de flanelle blanche qui me venait de mon cousin Maurice, de Laval-des-Rapides. Un rien, une barrette pour les cheveux, des rubans de velours, une paire de gants de *kid,* des bretelles neuves, un rien nous faisait chaud au cœur. Nous décorons le jambon avec des fleurs de papier. Nous nous préparons à aller voir la parade de l'orphelinat Saint-Arsène. Nous ne savons pas vraiment pourquoi, mais c'est un beau jour, c'est Pâques, on nous a dit de nous réjouir. Le Christ est ressuscité d'entre les morts, il est monté aux cieux à la droite du Père. C'est une atmosphère de fable. Les filles ont les yeux plus doux. L'hiver est bien terminé. Il y a dans l'air des promesses indéterminées. J'espère.

*
*   *

Et s'achève avril. On se tiraille, on se traîne à genoux. En contact de nouveau avec la terre de la cour, on est bien. Même petits, on se sent délivrés. On n'a plus à porter tous ces foulards, ces tuques enfoncées jusqu'aux yeux, ces deux paires de mitaines, ces bottes doublées, ces culottes épaisses, ces « makinas » matelassés si lourds. Il fait bon. On a les genoux nus de nouveau. Des touffes d'herbe pointent le long des clôtures de la cour. Il y aura des jeunes pissenlits bientôt. Des pissenlits ! Les seules fleurs que je connaisse, fleurs simples, généreuses, que l'on coupe et que l'on installe soigneusement dans de vieux pots de confiture vides. Quel plaisir de retrouver l'air doux, le vent caressant et chaud enfin. L'hiver a été une sorte de long tunnel. On a bien joué, certes, mais le printemps c'est autre chose, c'est une nouvelle liberté. Une plus grande liberté. Ah, si on avait la permission d'aller explorer !

Les grands, eux, ont pu faire « les sept églises ». Beau prétexte pour aller loin, jusqu'à Notre-Dame-du-Rosaire, rue Saint-Hubert, jusqu'à Saint-Arsène, rue Bélanger, jusqu'à Saint-Édouard, rue Saint-Denis, jusqu'à Saint-Jean-de-la-Croix, boulevard Saint-Laurent, jusqu'à Saint-Vincent-Ferrier, boulevard Jarry. Chanceux d'avoir pu faire une si longue excursion. Un jour, ce sera notre tour, un jour, nous aurons douze, treize, quatorze ans, nous aussi.

Un « tuyau de castor » pour le bedeau

Maman fait son grand ménage du printemps. Lucille l'aide, bandeau sur les cheveux. Papa ôte les doubles fenêtres et va les remiser dans le hangar d'où il sort les persiennes pour les laver d'abord. La maison sent bon la cire fraîchement appliquée sur le prélart du boudoir et des chambres. Marcelle frotte l'argenterie du *side board* avec un *stuff* qui sent très fort et qu'elle doit éviter de trop respirer. Pour les verres, ce sera la servante, c'est si fragile des verres à vin ! L'oncle Léo vient faire son tour entre deux voyages dans son train du « Pacific », Montréal-Québec. Il raconte à papa qu'on a interné à l'asile le cousin « Bombarde ». J'écoute, très surpris de ce que j'apprends sur le monde des « fous », sur cette prison-hôpital de Saint-Jean-de-Dieu. Et puis, il dit qu'en Allemagne il y a un petit caporal très ambitieux qui énerve tout le monde, qu'en Italie, Mussolini protège bien le pape. L'oncle Léo parle de s'acheter une voiture. On applaudit à cette idée : « Tu viendras nous faire des tours, hein ! mon oncle ? » Et il dit que les conducteurs de tramways ont bien tort de se plaindre, de menacer de faire la grève. Des mots nouveaux s'installent dans notre mémoire : grève, asile, caporal, socialistes dangereux qui montent la tête des ouvriers, partout, surtout du côté de Valleyfield.

Mme Légaré dit que son mari va ouvrir un restaurant comme celui de papa. À quatre portes de son magasin ! Papa en a eu des plis plein le front. Il a quelques cheveux gris. Il rallume toujours sa pipe. M. Provost a appris à maman que la petite Rita ne va pas mieux du tout. Papa en profite alors pour lui dire qu'il est très inquiet de la santé précaire de sa mère qu'on a installée au deuxième étage avec, à sa portée, une clochette électrique qui sonne dans la chambre de mes parents quand elle va plus mal et veut que l'on monte la voir d'urgence.

Le laitier habituel a changé de *run*. C'est maintenant un nouveau, tout jeune, et il s'est fait engueuler, l'autre matin, parce qu'il a voulu caresser le cou de la bonne et les mains de ma sœur Lucille.

Le professeur Laroche dit qu'il y aura la guerre, en Europe d'abord, puis partout dans le monde. Le vicaire, en visite paroissiale, affirme que non. Il nous bénit, nous donne chacun une médaille et déclare : « Il n'y a pas de danger, mes amis. Si nous savons prier Dieu, il n'y a pas de danger. Le pape n'a jamais été si bien traité que depuis qu'il y a un bon dictateur en Italie. » Et puis, comme exemples de paix, il parle de l'Espagne catholique avec Franco, du Portugal avec le bon Salazar et de l'Irlande avec De Valera. Et il s'en va d'un pas qui veut rassurer tous les voisins inquiétés par les manchettes des journaux d'avril 1939. M. Lanthier se chamaille avec un médecin italien voisin, au sujet d'Adrien Arcand et de ses réunions de « chemises brunes avec brassards de croix gammées » qui viennent de se tenir au manoir Notre-Dame-de-Grâce.

Ce matin, le bedeau Dépatie m'a demandé de lui dénicher un « tuyau de castor noir » pour une séance de théâtre avec Ovila Légaré qui s'en vient jouer au sous-sol. Gilles Potvin chantera des airs nouveaux. Lucille Dumont aussi. Le petit Claude Léveillée va jouer du piano, en solo s'il vous plaît. Ce sera une grande soirée récréative et maman a promis de m'y amener. Elle sait que, déjà, j'aime les rideaux qui s'ouvrent, les réflecteurs de couleurs, les maquillages, les décors de carton peint.

En avant la procession !

Maintenant, les deux peupliers géants sont remplis de feuilles et l'on y installe deux cabanes de planches. Ce sera le repaire des tarzans du bout. Je serai un des chefs, Dubé me l'a juré en crachant trois fois par terre, la main sur le cœur. Je lui ai donné quatre gros biscuits à la mélasse. Le grand Émile Cinq-Mars a déménagé. Nous devrons nous débrouiller pour organiser notre fanfare d'été. Le fou à Rosaire, assis sur le banc des chauffeurs de taxi, tout fier, exhibe un nouvel harmonica. C'est le plus gros que nous ayons jamais vu. Les chaises réapparaissent sur tous les balcons d'en avant. Papa promet d'acheter une balançoire. J'ai cassé la petite automobile à pédales. Elle était si vieille. « Tu auras une voiture neuve », m'a dit maman qui a ajouté : « Ce sera pratique pour aller au marché Jean-Talon. » Mais j'ai du mal à jeter au rebut la voiture à pédales. Enfant, on s'attache à tout. Je m'étais attaché à cette vieille brouette. On s'attache vraiment. À son pupitre de la classe, à son encrier dans le petit trou à droite, à son aiguisoir. À tout. On a rien, on a peu, mais ce qu'on possède est toujours un trésor précieux. Ce soir il y aura un immense feu d'artifice pour la Saint-Antoine de la paroisse italienne voisine. Hier matin, le cheval du boulanger nous a fait voir une longue pissette rouge. On a eu peur et puis on a ri comme des fous. Dimanche prochain, maman dit qu'on ira voir les nains de la rue Rachel. On a hâte et on a peur aussi. Tout ce qui n'est pas ordinaire, tout ce qui ne nous ressemble pas nous effraye, c'est idiot.

Soudain, j'entends des tambours et des clairons. C'est la marche entraînante de la fanfare de mon école. Ils font une répétition avenue de Gaspé. J'y vais. C'est pour la Fête-Dieu. J'ai ma place, dans la rue, comme tout le monde. Nous allons tout arrêter, nous nous emparons de la rue. Cela nous semble grave et important. J'y vais. J'ai ma place. Maman a la sienne avec les Dames de Sainte-Anne aux grands rubans mauves, papa aussi a la sienne avec les ligueurs du Sacré-Cœur aux larges rubans d'un beau rouge vif. Mes sœurs sont parmi les Croisées, en uniforme, avec petit béret de feutre blanc, moi, parmi les miens, en petite soutane, à la fin de la procession, devant le grand dais des porteurs du très saint sacrement exposé. Nous allons faire un tour de paroisse avec arrêt au magnifique reposoir où il y aura des anges poudrés, des chérubins aux ailes de papier de soie translucide. On a hâte.

*

* *

J'aimais les processions. Pour rien au monde, je n'aurais manqué la procession de la Saint-Antoine chez les Italiens du quartier. Celle de la Fête-Dieu était, pour ainsi dire, presque une obligation. Il fallait être bien méchant, bien endurci, pour rester au coin des rues comme le faisaient ces grands zazous de fainéants qui ne retiraient même pas leur chapeau à large bord au passage du saint sacrement. Des impies féroces, non ?

Une autre procession nous tenait beaucoup à cœur : celle du père Noël. Nos parents nous interdisaient toutefois de descendre, avenue du Mont-Royal ou rue Sherbrooke, dépendant des années, pour voir ce défilé du magasin Eaton, quelques jours avant Noël. Nous nous contentions d'en écouter la description, avec Bailly et Desbaillets, à la radio de CKAC. Cher bon gros poste de radio aux volumineux boutons de bois de *veneer,* au cadran énorme à plusieurs fréquences. Tôt le matin, on réussissait parfois à capter radio-police ; tard le soir, quand il était chanceux, papa syntonisait, à sa grande joie, la radio du Vatican. Chère radio de notre enfance et son Théâtre Ford avec M. Langlais, son *En chantant dans le vivoir* aux talents de demain avec Bernard Goulet et Michel Normandin, ses *Mémoires du docteur Morange ou du docteur Lambert,* fertiles en frissons d'horreur, son désopilant *Nazaire et Barnabé,* ses

Fridolinades, et quoi encore ? La télé n'était pas née. Nos imaginations trottaient. Réda Caire, Tino Rossi, Lucienne Boyer, étaient les vedettes du temps. Maman fredonnait parfois un air à la mode. Nous savions alors que tout allait bien pour elle, que nous pouvions lui faire une demande spéciale comme un gros casse-tête, un camion de la collection Match-Box, ou un sac d'école en cuir pâle comme le veut la mode, avec poignée, sans ces bretelles ridicules !

QUATRIÈME PARTIE

Vive les vacances, au diable les pénitences…

Finissait par s'amener l'énervante quinzaine des examens. Revue des matières, super-bourrage de la mémoire. Transes et veilles. Les feuillets de questions fatales défilaient matins et après-midi. Les réponses volaient bas. On se méfiait des pièges, il y en avait, c'était la mode. On était du gibier traqué par les examinateurs. Et on partait, vidés, épuisés, rapetissés, diminués, les nerfs en boule, on partait en vacances. On chantait à tue-tête, rue de Gaspé: « Vive les vacances, au diable les pénitences, mettons nos livres au feu et le professeur au milieu. » On balançait nos sacs d'école, on s'en donnait des coups sur le dos, sur la tête, c'était le symbole honni du cauchemar qui nous avait obsédés dix mois durant. Se présentait donc enfin ce joyeux paquet de « samedis tous les jours » ! Ce lot de congés à répétition. Les clercs de Saint-Viateur s'affairaient maintenant à corriger ces centaines et ces centaines de copies d'examens. Au bout du compte, il y avait des notes, des pourcentages, des bulletins qui aboutissaient sur la table de la cuisine : « Chanceux, tu montes en sixième année, tu as ton soixante ! » J'avais souvent « juste mon soixante ».

Papa me regarde attentivement et me dit : « Ce sera ta dernière année à l'école des frères. » Je regarde maman, un peu surpris. Je ne vois pas pourquoi je ne me rendrais pas jusqu'en neuvième année comme tout le monde et, si je suis capable, à l'école supérieure Saint-Viateur jusqu'en douzième année. Maman dit : « Oui, tu iras, après ta sixième année, à une école de prêtres ! » Quelle différence, frères ou prêtres ? Pourquoi ce changement ? Papa sort son sac rouge de Picobac Tobacco, bourre sa pipe et allume. Il ajoute enfin : « Si tu veux, tu iras au collège classique. Je me suis informé et ce n'est pas cher. Si tu veux, tu pourras faire des études classiques, devenir prêtre peut-être. »

« On verra, dans le temps comme dans le temps ! » Et je me jette dehors par la porte restée ouverte. Dehors, c'est l'été qui est commencé et il faut en profiter. Toute la bande est là ! En chandails de coton. Finies les maudites chemises et les cravates obligatoires. On respire. Finis les pantalons serrés, les souliers qu'il faut cirer tous les samedis soirs. On est là, tous ensemble, face à face, on se regarde. Premier jour de liberté ! On a l'air fous ! On ne sait plus quoi dire ! Depuis le temps qu'on attendait ce jour-là ! On ne sait plus quoi faire ! On éclate de rire ! Je vais chercher les deux bâtons du jeu de drapeau. Cris de joie. On installe les deux pôles au milieu de la ruelle. On se divise en deux clans. On tire au poignet, le gagnant aura le premier choix. C'est Gilles qui gagne, il dit : « Je prends Devault » ; je dis : « Morneau » ; il dit ensuite : « Légaré » ; je prends Ti-Rouge l'Italien ; il prend Malbœuf ; je choisis Vincelette ; il tire Hubert ; j'accroche Roland, c'est mieux que rien. Il retient Raymond et j'ai droit au reste : le petit Nolet. Gilles choisit mon petit frère, alors j'hérite du dernier des derniers : tit-cul Favreau, le petit nouveau de la rue. Tant pis !

« Pow, pow, t'es mort ! ra-ra-ta-ta »

Mais on se redivisera. Selon les absences, selon les cousins hébergés par certaines familles. On se partagera autrement, selon les jeux, selon les matinaux et les retardataires. L'été est arrivé. La chaleur de juillet sera parfois accablante. Maman a installé des cuvettes pleines d'eau froide. L'autre jour, on a trouvé un boyau d'arrosage qui pisse un bien maigre jet d'eau. On joue souvent torse nu. Le guenillou passe : « Eille, on a des guenilles à vendre ? » Le jour des vidanges, les mouches tourbillonnent dans tous les fonds de cour. Le lundi, c'est le séchage des lessives. Les mères sont nerveuses et guettent ces petits polissons qui circulent sous les draps blancs, les taies immaculées, les robes, les bas, les culottes, les jupons, innombrables drapeaux qui se balancent dans le vent chaud de juillet. Le maraîcher passe : « On a des choux, des carottes, des radis »… et on entonne, moqueurs : « Du beau blé d'Inde », et nous continuons de jouer au bon et au méchant, de nous dépister, de nous capturer, de nous tuer ou de nous attacher pour des « martyres cruels ». Un petit se coupe et rentre à la maison en braillant à fendre l'âme. Mme Légaré appelle son garçon à tue-tête : « Va me chercher six cokes pis un pain tranché. » « Pow, pow, t'es mort ! » On surgit soudain à quatre, menaçant commando de petits échevelés en sueur, c'est la rafale meurtrière « ra-ta-ta-ta-ta ». « Haut les mains ! » « On vous a surpris ! » « Farme ta yeule ! » « Laissez-vous attacher ! » Et passe Foti : « Glace en haut, glace en bas. » C'est la trêve de part et d'autre pour permettre aux belligérants d'aller se découper des glaçons :

« Crissez-moé vot' camp ailleurs, mes p'tits verrats d'achalants ! » C'est un parc étonnant, la ruelle, anarchique ! C'est le temps des jeux, c'est le bon temps du beau juillet des enfants libres. On a perdu le grand Lebœuf, lui et ses parents sont partis à la mer, près de Old Orchard. On se regarde : « La mer »… Ça doit être au bout du monde… et on continue de barboter dans les deux grandes cuvettes d'eau froide comme la mer ! Le gros Devault aussi s'en va, son père a déniché un chalet pas cher plus haut que Lac-Nominingue. « Nominingue ? Ça doit être proche du pôle Nord, y paraît qu'il faut trois heures de train pour y aller. » On rêve un peu « au nord et à la mer » et puis on se sauve, les Indiens d'abord, les cow-boys ensuite : « Pow, t'es mort ! »

RÊVE D'AVENTURE

Matin du mois d'août 1939. J'examine soigneusement le couvercle d'une bouche d'égout. Si je pouvais soulever cette pièce. Voir où ça conduit. J'ai vu des hommes s'y engouffrer. Chaque fois, ils posaient une petite barrière flanquée d'un écriteau : « Danger. Hommes au travail. » On ne pouvait approcher. Si on tentait de se pencher au-dessus de la barrière pour y jeter un coup d'œil, on se faisait dire : « Allez jouer ailleurs, allez jouer plus loin les petits gars. » Mais des « petits gars », c'est curieux, ça veut tout voir, tout savoir. J'aimerais tellement examiner ce trou d'hommes. Ce matin d'août, les gars ne sont pas encore sortis et je suis seul. Un jour, je soulèverai ce couvercle et, avec mes bottes de caoutchouc, mon gros canif à trois lames, mon sifflet de police, mon chapeau rond d'explorateur, ma *flash-light* à deux batteries, j'irai au fond de l'un de ces puisards, je refermerai ce lourd couvercle et je marcherai sous les trottoirs, traversant des rues et des rues. J'irai voir où mènent ces couloirs souterrains. Je me défendrai si je rencontre des quêteux, des ivrognes cachés, des bandits déguisés, des gueux, des voleurs échappés des prisons ! J'aurai mon petit poignard ainsi que ma carabine que j'aurai arrangée pour pouvoir tirer de vraies balles. J'y verrai peut-être de ces rats d'égout énormes, dont m'a déjà parlé papa, ou d'autres bêtes plus monstrueuses encore, visqueuses, gluantes, avec des tentacules de pieuvre se déployant dans des eaux boueuses, noires.

Je suis seul ce matin. Il a plu un peu plus tôt. Tout est luisant, la rue, les trottoirs, les poteaux de cèdre, les escaliers extérieurs, les affiches de la circulation. Hier, il y a eu des sauterelles en ville. Partout. Cela a été tout un jeu de les écraser en marchant. C'était comme dans une des plaies d'Égypte racontées par l'histoire sainte. L'an dernier, il y avait eu aussi une drôle de manne : partout, des millions de petites bibites ailées. Des mouches de chaleur, opinait M. Cloutier, l'embaumeur du troisième.

Je trouve une cenne noire près du cinéma Château. C'est toujours extraordinaire de trouver de l'argent par terre. Un sou, c'est mieux que rien. Je cours chez Lafontaine. La clochette de la porte tinte. Mme Lafontaine, l'aveugle, s'amène du fond de son appartement. Je tousse un peu. Elle fait le tour d'une caisse de bouteilles Flirt, à trois sous. Elle dit doucement : « C'est vous, madame Bégin ? C'est effrayant ce que j'ai appris ce matin pour la Rita de notre amie.

Oh ! c'est terrible. Que quelques jours, a dit le docteur ! Quelques jours seulement ! Oh ! » Et elle éclate en sanglots étouffés. Je n'ose pas lui expliquer sa méprise, que je ne suis que le petit gars d'en face, le petit Jasmin. Je suis gêné. Et puis, je ne savais pas que c'était la fin pour Rita. Je regarde couler deux longues larmes. Les aveugles pleurent donc comme tout le monde, malgré leurs yeux morts ? Je sors du restaurant.

« Le monde est rempli de louches individus... »

L'aiguiseur de couteaux passe, bossu et court sur pattes, le crâne dégarni comme celui des clowns. Il agite une grosse cloche pour attirer l'attention. Il pousse sa roche, sa grosse pierre à aiguiser installée sur sa brouette improvisée. Mme Delorme lui fait signe d'arrêter. Elle lui apporte deux couteaux à viande, une paire de ciseaux. Je regarde travailler l'affûteur qui, d'un pied robuste, actionne sa meule. Une vieille théière pleine d'eau, à moitié bouchée, distille des gouttes sur la pierre à aiguiser. Je me tiens loin. On a tous un peu peur de lui. Il passe, tous les quinze jours, rue Saint-Denis. Les enfants sont craintifs. On nous a tellement dit de nous méfier, de ne pas parler aux inconnus, de ne jamais écouter un étranger, de refuser le moindre service « à du monde que vous ne connaissez pas ». Maman le dit, Mme Denis le répète : « Le monde, de nos jours, est rempli de louches individus, de drogués de la guerre de 14, de gazés pas fins fins, de maniaques qui veulent s'amuser sur des petits enfants et qui finissent toujours par les étouffer ou par les couper en petits morceaux. »

Je me tiens loin du bossu et de sa machine baroque. Il pourrait bien être un de ces maniaques. S'il réussissait à attraper l'un d'entre nous, il serait capable de le couper en petits morceaux ou de le passer au hachoir comme dans la chanson des « trois petits enfants mis au saloir une veille de Noël ». On a peur des gens, des gens qui n'ont pas de nom ou qui n'habitent pas le quartier. « Un accident est si vite arrivé », répète papa.

On dirait que le soleil va se montrer. Quelques rayons percent les nuées opaques. Il y a de la vapeur dans la rue, là où ça sèche. Je marche de nouveau jusqu'au coin, vers la Banque, vers Laura Secord où il n'y a pas de « bonbons à la cenne », hélas ! L'enfant mongol est encore là, il est debout sur son balcon et tient fermement deux barreaux, comme un animal, dans sa cage du troisième étage. Il balance sa tête. Seul, on a toujours moins envie de faire ses farces plates. À quoi pense-t-il en me regardant ainsi avec des yeux mauvais ? Est-ce qu'un enfant mongol pense ? Je demanderai à papa. Je regarde de l'autre côté de la rue, Rita n'est plus derrière sa fenêtre. Mme Lafontaine a donc dit vrai. Pourquoi mourir si jeune ? Je trouve ça inexplicable, bizarre. Je ne voudrais pas mourir. Je me débattrais. Qu'est-ce que je pourrais faire ? Pourquoi tous ces docteurs dans ma rue, et pas un seul capable de la soigner, de la sauver ? Il faut que j'aille répéter à maman ce que j'ai appris au restaurant. Le livreur de la pharmacie Martineau sort son lourd triporteur de livraison, le barbier du Rivoli Barbershop ouvre la grille de son entrée et va s'acheter de quoi fumer, à côté, au United Cigar Store.

LE PURGATOIRE DE N'ÊTRE QU'UN « PETIT »

Il y avait de grands effrontés qui, l'été venu, se rendaient à l'église Holy Family, coin Faillon, le dimanche, pour assister à une messe ultrarapide. On ne comprenait pas trop comment cela se faisait, qu'en anglais, la même messe catholique, au lieu de durer quarante-cinq minutes et plus, ne durait qu'une vingtaine de minutes. Maman disait : « Que je vous voie jamais aller traîner par là ! C'est des messes de paresseux et de protestants. » Nous allions donc à la messe de neuf heures à Sainte-Cécile et, généreux, nous allions aussi, parfois, à la messe de onze heures, rue Dante, coin Alma, en arrière de chez nous. Mon père disait : « Pourquoi vas-tu à l'église italienne, tu comprends rien au sermon. » Justement, c'était la langue italienne qui m'attirait à Notre-Dame-de-la-Défense. Je m'installais dans un petit coin, sur un banc latéral, en arrière de la nef et, le nez en l'air, j'attendais le sermon. Pour moi, cette langue étrangère était un délice, j'étais comme loin, ailleurs, comme un voyageur ! Je finissais par capter, il me semblait, ce langage si chaud à mes oreilles, cette langue si colorée. J'étais sûr que le prédicateur disait, en douce : « La madona, la santa virgina qui vous aima, a grande peino de vos peccatta et vous ira brûlare – le ton montait – in flamma æterna in profondis de l'inferno avec santania le démoné qui vous féra chauffare per l'éternitas. » J'entraînais Dubé ou Morneau rue Dante et, en sortant, je proclamais que j'avais le don des langues, comme les apôtres au lendemain de la Pentecôte ! On ne me croyait pas.

On s'ennuie tant le dimanche. Lire les bandes dessinées de *La Patrie* et du *Petit Journal* ne prenait pas un bien long temps, même si on examinait tout, dans ces journaux illustrés du dimanche, le moindre jeu, le moindre casse-tête, le moindre « coin des jeunes ». Que faire ensuite ? Que faire en attendant le dîner, repas au rôti de bœuf, au jambon chaud, à la poule au pot, repas mieux assaisonné, plus soigné que ceux de la semaine et pour lequel maman sortait une des belles nappes blanches de son trousseau de noces.

Comme nous devions rester propres, que faire, l'après-midi de ces dimanches, sinon niaiser les petites Fortin, les petites Matte, faire damner nos sœurs, taquiner les passants avec le coup classique de la sacoche attachée à un fil noir et autres farces à la mode. Heureusement pour nous, des fabricants de jouets étaient conscients du problème. Il y eut la vague du bilboquet aux couleurs et aux grosseurs variées, avec concours organisés par les promoteurs. Il y eut la vogue du bolo, balle rouge bon marché, balle blanche pour privilégiés. Il y eut le yoyo, les beaux à trente sous, les communs à dix cents. Il y eut le moine, moine simple à quinze cents, moine de luxe à cinquante cents, avec « pine » métallique dorée. Et ça jouait, mes amis ! Des heures durant, des jours entiers !

Les plus grands allaient au cinéma de la salle Saint-Gérard dans Saint-Alphonse, ou bien aux démonstrations dans la cour de l'orphelinat Saint-Arsène. Les plus audacieux réussissaient même à entrer au Petit Royal du boulevard Saint-Laurent ou à l'Empire de l'avenue Ogilvy près de Parc-Extension.

Le plus souvent, les « grands » de quinze ans et plus allaient s'appuyer aux vitrines des restaurants au coin de la rue Bélanger, pour regarder bêtement passer les promeneurs du dimanche : grosses madames, petits monsieurs secs, belles filles accortes fardées comme Dorothy Lamour ou Edwidge Feuillère, grands jeunes hommes aux allures de Clark Gable ou de Jean Gabin, couples derrière des carrosses remplis de bébés joufflus. Nous aurions donné nos plus chers trésors pour voir ce qui se passait sur les grands écrans des cinémas. Nous nous contentions, ravis, d'écouter la bande sonore du film quand les placiers ouvraient les portes de côté, rue Bélanger, pour faire aérer les salles d'avant l'air conditionné. On se faisait des illusions, on imaginait les images. Le mardi soir, nous nous installions au bout de la file de gens qui attendaient l'heure d'entrer pour assister à l'émission radiodiffusée du Château. Le moment venu, nous avancions lentement, lentement, comme des adultes, jusqu'à la porte du théâtre et là, lâchant cris et rires, nous retournions au bout de la queue pour recommencer le manège. Nous attendions d'être des adultes. Nous étions comme dans un purgatoire. Nous aimions porter des casquettes de vieux, des chapeaux d'hommes, faire semblant de fumer des mégots éteints. Dérisoire pantomime de garnements impatients d'arriver à cet âge béni d'hommes faits. Nous imitions les adultes, nous épiions leurs gestes, leurs allures, leur langage, leurs accoutrements. Nous attendions, oui, nous attendions, surtout le dimanche, comme des patients dans une clinique de chirurgie de transformation !

Maman sur son trente-six

J'aurai dix ans bientôt. Je suis impressionné par ce chiffre rond, imposant : 10. Pensez-donc, dix ans ! « On rit p'us », m'a dit tante Gertrude, dimanche. Et elle a ajouté : « Maintenant, tes cabanes, tes animaux de bonbons, doivent être mieux faits que jamais ! » Depuis quelques semaines, la servante Colombe n'ose plus entrer dans notre chambre de garçons. Un matin, je lui ai crié : « Colombe, maudit, vas-tu rentrer dans ma chambre quand je m'habille jusqu'à temps que j'aie dix ans et plusse ? » Elle s'est excusée. Ma mère a pouffé de rire, je l'ai entendue de ma chambre. Elle se pense fine quand elle fait sa comique. Mme L'Houiller bat son steak, c'est l'heure. Son mari monte lentement l'escalier, il a la peau comme jaune, il me semble, les cheveux aussi. Il travaille dans l'iode, je m'imagine que le métier de tous les jours doit déteindre sur lui.

Juillet a filé, on ne l'a pas vu. Et maintenant, c'est le mois d'août qui semble vouloir passer à toute vapeur. On voudrait retenir les jours d'été, on voudrait allonger chaque journée de congé. Mais septembre viendra. Déjà, rue Saint-Hubert, on voit avec horreur des vitrines décorées avec de faux tableaux noirs. Ici, on y montre des souliers sévères, là, des imperméables sombres et c'est écrit : « Pour l'école, les jours de pluie ». Les marchands n'ont donc pas de cœur. Maman va encore se déguiser en pauvresse pour aller marchander les prix des souliers d'école et des costumes de couvent obligatoires pour mes sœurs, avec cols romains en celluloïd blanc et poignets de même espèce. Maman s'imagine qu'elle réussira à faire baisser les prix si elle a son vieux manteau défraîchi. Mais le dimanche, elle sort ses grands atours, ses chapeaux aux formes compliquées, ses collets de rat musqué ou de renardeau dont la gueule, en s'ouvrant à l'aide d'une pince, peut mordre la queue. Elle sait se grimer, choisir ses plus belles boucles d'oreille, son plus riche collier de perles satinées. Nous étions fiers d'elle quand elle sortait de la messe ou qu'elle revenait de chez « ses petites sœurs ». Papa, moqueur, rigolait, ricanait, mais on voyait, par les lueurs qu'il avait dans les yeux, qu'il était fier aussi de cette grande dame des occasions spéciales. Quand on voyait maman « checkée » comme ça, on faisait attention, à notre tour, on s'efforçait de rester propres dans notre linge du dimanche, de marcher droit, de parler « comme du monde ». Car pendant la semaine, l'été, dans les ruelles, je crois bien qu'on ne parlait pas comme du monde : on criait, on marmonnait, on jargonnait, on avait moins de mots que de cris pour exprimer nos sauvages émois, notre primitif bonheur de tuer les méchants, de torturer les bandits !

LA RENCONTRE DU SOIR

Tous les soirs, avant d'aller au lit, nous nous agenouillons tout autour du lit de mes sœurs les plus jeunes pour réciter la prière du soir. On se voit. On se regarde. Mon père y est aussi quand il n'y a pas de clients dans son magasin du sous-sol. Il récite la prière, debout dans l'encadrement de la porte de la chambre. Ma mère dirige la petite cérémonie : « Mon

Dieu, je vous donne mon cœur »... et nous enchaînons tous : « ... prenez-le, s'il vous plaît, afin que jamais aucune créature ne le puisse posséder que vous seul mon bon Jésus »... L'été, il y a des périodes où nous ne voyons pas nos sœurs de toute la journée, d'abord, parce qu'il y a des jeux pour les garçons et des jeux pour les filles, ensuite, parce qu'en vacances les repas sont fulgurants, avalés en vitesse dans une halte ultra-rapide. Cette rencontre du soir est donc, bien souvent, le premier face-à-face de la journée. J'en profite, c'est plus fort que moi, pour faire des pitreries, des grimaces, des folichonneries qui font rire mes sœurs et mettent parfois ma mère en une sainte colère. D'autres soirs, je joue la piété grave, je tiens à allumer le lampion du petit autel de la chambre, les deux chandelles placées de chaque côté de la statue de Sainte-Anne, statue sculptée par l'oncle Ernest qui est en Chine, missionnaire des Missions étrangères de Pont-Viau chez les petits païens infidèles. Il m'arrive même de faire brûler, dans un cendrier non catholique *made in Hong Kong*, un peu d'encens japonais importé de Vancouver.

Maman a une piété un peu mécanique. Cela relève d'un devoir à accomplir, d'un rituel qu'il n'est pas question de contester. Papa est plus fougueux. Il parle de Mme Brault avec emphase, il nous explique que le diable la pousse dans un fossé, le matin, quand elle va à la messe, qu'il va même jusqu'à renverser sa bibliothèque. Il devient inspiré quand il narre les diaboliques interventions de Satan dans la chambrette du bon frère André. Avec lui, pas de doute possible, le diable existe. Il veut toujours nous lire un passage terrifiant de *La Vie des Saints* dans un gros livre recouvert d'une toile cirée noire. Il nous recommande de ne pas rire de la vieille demoiselle Curotte, de Chersey dans les Laurentides, qui dit voir souvent la très Sainte Vierge ! Elle vient visiter notre voisine d'en haut, Mme Bégin, et papa aimerait bien y être invité. Les phénomènes surnaturels le fascinent, semble-t-il. Quand il nous conduit à l'oratoire Saint-Joseph du mont Royal, quatre fois par année au moins, il nous amène d'abord près du tombeau du thaumaturge et regarde toutes ces béquilles, tous ces corsets, laissés là par les miraculés du lieu. Comme lui, j'aime les récits effrayants, j'aime le frisson de la peur. Je lis et je relis mon grand catéchisme-en-images, reçu de ma grand-mère, un jour de Noël, je regarde attentivement les épouvantables illustrations sur l'enfer. Avec les effrayants *Contes* de Charles Perrault, illustrés aussi, c'est un de mes livres préférés. Je me rends bien compte qu'il s'agissait moins de foi religieuse que d'un besoin de mystère, de surnaturel.

UN AVENIR TOUT ROSE

Septembre est venu. En réalité, on ne savait plus trop à quoi jouer, les derniers jours de vacances. Nous en étions rendus à jouer à l'école. Nous formions une vraie classe avec des pupitres et des bancs. Avec des cahiers et des devoirs à faire. Avec des récréations aussi brèves que celles de l'école. Avec une maîtresse, Lucille, l'aînée, très sérieuse. Et il y avait des studieux, des dissipés, des vraies punitions, comme à l'école. On s'ennuyait de nos chaînes, de cette discipline qui pointait à l'horizon. Aussi, quand le jour de la rentrée s'amenait, on était comme un peu préparés !

Il faut dire que nous éprouvions une certaine hâte à voir notre nouvelle classe, notre nouveau pupitre, à connaître notre nouveau professeur, à parader dans un costume de tweed presque neuf, hérité d'un cousin aîné, riche, à étrenner des souliers qui craquent. Au début, oui, nous étions heureux de retrouver le bon vieux système. Nous avions, de nouveau, besoin d'un ordre, d'un vague projet d'avenir. Les beaux slogans reprenaient d'assaut nos jeunes oreilles. On croyait presque à ces : « Si vous préparez bien votre avenir, vous aurez une existence pleine de bonheur » et « Travaillez bien, étudiez fort et, un jour, vous aurez, comme récompense, un bon emploi dans la vie. » Nous regardions par la fenêtre, nous échafaudions de doux songes. Nous serions des hommes riches, honnêtes, pieux, aimant la vie, nous allions devenir des citoyens fiers et honorables, heureux de vivre une vraie vie d'adulte. La vocation d'être un adulte suffisait, nous n'étions pas encore prêts à décider d'un métier, nous nous contentions des promesses généreuses d'un avenir en rose. Déjà, de savoir que nous serions des adultes, donc des hommes libres, sans leçons à apprendre par cœur, sans devoirs à tracer proprement dans des cahiers à l'encre, était un espoir suffisant pour nous faire patienter sagement derrière nos petits pupitres de chêne marqués d'initiales gravées, de signes secrets, de symboles touffus et obscurs.

« RITA EST AU CIEL AVEC LES ANGES »

« Rita est morte ! Rita est morte ! » Lucille rentre en courant. Maman porte la main à son cou et fait : « Mon Dieu, quel malheur, mon Dieu ! Mon Dieu ! » On reste muets autour de la table de la cuisine. Dehors, il pleut à boire debout. On faisait des dessins sur le papier d'emballage. Un geste trop brusque de Marcelle, les craies roulent sur le prélart fleuri. « Rita est morte ? » « Oui, M. Turcotte est fâché, c'est Rémi Allard qui organisera les funérailles. » « C'est pour ça qu'elle n'était pas retournée à l'école cette année ! » Mon père suce sa pipe, soucieux, le front couvert de rides, soudainement : « On va réciter une prière spéciale. » Grand-maman va de plus en plus mal et papa dit qu'il faudra réciter deux prières spéciales. On va se coucher, la mort dans l'âme. On a vu M. Cloutier, l'embaumeur du quartier, sortir de chez lui avec sa petite valise noire ! Nicole ne comprend pas trop ce qui se passe. Elle réclame sa poupée pour mieux s'endormir. Je ne réussis pas à trouver le sommeil, je m'efforce d'écouter ce que chuchotent mes parents, en arrière, dans la cuisine. Papa remue bruyamment la cuiller dans sa tasse de café. Maman fait son repassage ; à intervalles réguliers, elle dépose le fer dans l'assiette de métal. Elle dit : « Elle sera mieux où elle est que dans cette vallée de larmes. » Papa n'ajoute rien. Il tète son café trop chaud. Maman ajoute : « Elle n'a pas souffert en tout cas, cette maladie avait ça de bon. » Papa murmure : « J'irai les visiter demain matin. Pourvu que ma mère n'aille pas plus mal maintenant. » La voix de maman n'est plus qu'un murmure, je ne peux comprendre ce qu'elle dit.

Soudain, j'entends mieux : « Elle est au ciel, la pauvre petite, avec les anges. » Et je vois les anges, comme ceux des reposoirs, ils jouent une divine musique sur de bien plus belles cithares que notre vieille cithare du hangar. J'entends des bruissements d'ailes. Nous y sommes tous, on nous a transportés là-haut, toute la bande, juste pour l'arrivée de Rita en paradis. Nos tricycles étaient devenus des petits avions ! Il y a une clôture de fer, semblable à celles de nos parterres, mais toute dorée. Je ne peux voir Dieu, il est loin au fond de cette salle remplie de jeunes filles en longues robes blanches. Elles tiennent des rameaux de Pâques à la main et s'en servent en guise d'éventails. Rita arrive. Elle a toujours son petit sourire las d'enfant malade. On l'entoure. Les prêtres du fond, décorés comme des évêques le jour de la confirmation, laissent Dieu pour venir l'accueillir. Et puis, c'est la cloche de la chambre de mes parents qui résonne et me réveille. Papa a bondi : « Mon Dieu, Germaine, c'est ma mère, vas-y donc. Elle doit avoir besoin de ses remèdes. » Maman fait claquer le fer dans l'assiette : « J'ai si mal à mes jambes. Eh misère ! »

« LA GUERRE, PAPA ? »

Le professeur Laroche sort sa Buick '36 du garage. Je l'aide à refermer les portes pliantes. Il veut et j'aime ça. Il s'apprête à allumer un cigare et s'aperçoit qu'il a déjà une cigarette au bec. Il la jette. Il voit que j'ai vu. « Je suis un grand distrait, Claude. » Je lui souris. Il me donne deux cennes noires. « Merci, monsieur Laroche. Ça va être une belle journée ! » Il

me regarde, trousse ses moustaches d'un geste vif :
« Tu appelles ça une belle journée ? Tu n'as pas
écouté la radio, mon jeune ami ! La guerre vient
d'être déclarée ! » Et il donne un coup de manivelle.
Je cours vers la maison, à côté. La guerre ? On va
avoir la guerre. Il faut que j'en parle à papa. Arrivé
dans la cour, je vois Mme Denis sur son balcon qui,
une main accrochée à la corde à linge, appelle
maman : « Madame Jasmin, madame Jasmin ! » Ma
mère sort, elle me regarde puis, levant la tête :
« Qu'est-ce qu'il y a madame Denis ? » Mme Denis lui
lance : « La guerre ! La guerre est déclarée ! Je viens de
l'entendre dire à CHLP ! » Ma mère me regarde de
nouveau et me dit : « Où étais-tu encore ? On te cher-
chait pour le dîner. » Je rentre. Papa est là. « La
guerre, papa ? » « Oui, oui. » J'ai compris que c'était
grave. « Il faudra que tu y ailles, papa ? » Il me sourit : « Mais non, pas de danger, ils vont d'abord appeler les chômeurs, les célibataires. Avec six enfants, il
n'y a pas de danger. » Mes sœurs mangent leur soupe
aux pois. Je m'installe avec elles. Mon frère est au lit
avec un mauvais rhume. Il a droit aux petits soins
spéciaux. Je n'ai pas d'appétit, il se passe trop de choses tout d'un coup. Nous étions si tranquilles,
tous. Grand-mère a reçu le prêtre, ce matin, pour
l'extrême-onction. Rita est exposée au salon de Rémi
Allard et il faudra y aller ce soir. Et puis maintenant,
il va y avoir la guerre !

Je me demande : « Est-ce que notre vie va chan-
ger ? » Dans la ruelle, j'entends : « On a des choux,
des carottes, des radis, de la rhubarbe, du beau blé
d'Inde. » Ça ne peut pas aller si mal. Non, la vie continue. J'entends mes amis qui reprennent en chœur :

« On a des choux, des carottes, des radis, de la rhubarbe, du beau blé d'Inde. » Ils sont tous là, ils m'attendent. Je ramasse mon dessert, un morceau de tarte
au *mincemeat*: « Où est mon fusil? Qui a pris mon
fusil? » Je vais dans ma chambre. Raynald dort, des
« comiques » sur lui, mon fusil à ses côtés, je le
ramasse d'un geste souple. Par la fenêtre du boudoir,
je vois le frère de Rita qui passe, les cheveux mouil-
lés, bien peignés. Il porte une petite cravate noire. Le
Chinois le suit avec sa grosse poche de linge, ses san-
dales et sa longue tresse.

J'entends les gars, sur la galerie, qui m'appellent:
« Tit-Claude, arrives-tu? » J'arrive. J'arrive. Ils sont
tous là. Ils me regardent. Ils savent que j'ai souvent
des idées pour un jeu nouvelle manière. Je les regarde. Je regarde Mme Denis qui accroche quelques
paires de bas sur sa corde. Elle me sourit faiblement.
Au milieu de la cour, avec la bande qui m'entoure, je
dis: « Écoutez les gars, on va jouer à la guerre, mais
sérieusement ce coup-là. Allez chercher toutes les
armes que vous pouvez trouver. On va dire que les
Allemands sont tous cachés dans le champ au coin de
Jean-Talon, près de chez Colliza. OK? » Dans un
grand cri on se quitte, chacun grimpe vers son hangar. Ils vont me revenir dans une minute, armés jusqu'aux dents. Mme Denis me dit: « Eh oui! mon p'tit
Claude, c'est la guerre, il y a longtemps qu'on voyait
ça venir. »

Je ne réponds rien. Je pense qu'il faut s'entraîner,
on ne sait jamais. Je n'ose lui dire ce que je pense, que
j'aurai dix ans en novembre, qu'on n'est plus des
bébés et que si les nazis, les boches décident de venir
jusqu'ici, ils vont nous avoir dans les jambes.

Les gars sont revenus armés de poignards, de dagues de bois, de revolvers de fer, de carabines de tôle, de boucliers-couvercles de poubelles.

« En avant, les gars, en avant, on va la défendre notre patrie ! »

Montréal, novembre 1972.

DOSSIER

NOTICE BIOGRAPHIQUE

Romancier, dramaturge, essayiste et chroniqueur, Claude Jasmin est né le 10 novembre 1930 à Montréal. Il a étudié quatre années au collège Grasset. Son père lui refusant d'aller à l'École des beaux-arts, il poursuit sa scolarité à l'École du meuble, où il obtiendra un certificat de céramiste, et à l'Institut des arts appliqués, où il enseignera l'histoire de l'art de 1963 à 1966. Claude Jasmin fait du théâtre amateur et s'improvise décorateur-étalagiste avant de donner des cours de peinture au Service des parcs de la Ville de Montréal de 1953 à 1955. À partir de 1956, il devient décorateur et scénographe à Radio-Canada.

Parallèlement à son métier de scénographe, il publie *La Corde au cou* en 1960 et remporte le prix du Cercle du livre de France. Critique d'art à *La Presse* de 1961 à 1966, il écrit aussi des textes pour la série *Nouveautés dramatiques* de Radio-Canada. Suivent, pour la télévision, des téléthéâtres tels que *La Mort dans l'âme* (1962) et *Blues pour un homme averti* (1964) et, pour le théâtre, certaines pièces demeurées inédites. Il a adapté pour la télévision deux de ses récits et créé ainsi les feuilletons *La Petite Patrie* et *Boogie-Woogie 47*. Son roman *La Sablière* a donné lieu à un film. À tous ces feuilletons, télé-théâtres et publications s'ajoutent également quantité de textes parus dans *La Presse*, *Sept-Jours*, *Québec-Presse*, *L'Actualité*, etc.

Outre le prix décerné à son premier roman, Claude Jasmin a aussi obtenu le prix Arthur-B.-Wood pour sa pièce *Le Veau d'or* (1963), le prix France-Québec pour son roman *Éthel et le terroriste* (1965) et le prix Wilderness-Anik pour *Un chemin de croix dans le métro* (1970).

En 1980, la Société Saint-Jean-Baptiste de Mont-réal lui remettait le prix Duvernay pour l'ensemble de son œuvre. En 1985, il prend une retraite antici-pée de la SRC (scénographie). Il poursuit son travail de romancier tout en collaborant régulièrement à de nombreuses émissions de radio et de télévision.

BIBLIOGRAPHIE

La Corde au cou, roman, Montréal, Cercle du livre de France, 1960.

Délivrez-nous du mal, roman, Montréal, À la page, 1961.

Blues pour un homme averti, théâtre, Montréal, Parti pris, 1964.

Éthel et le terroriste, roman, Montréal, Librairie Déom, 1964.

Et puis tout est silence, roman, Montréal, Éditions de l'Homme, 1965.

Pleure pas, Germaine, roman, Montréal, Parti pris, 1965.

Roussil. Manifeste, interview et commentaires, Montréal, Éditions du Jour, 1965.

Les Artisans créateurs, essai, Montréal, Lidec, 1967.

Les Cœurs empaillés, nouvelles, Montréal, Parti pris, 1967.

Rimbaud, mon beau salaud !, roman, Montréal, Éditions du Jour, 1969.

Jasmin par Jasmin, dossier, Montréal, Claude Langevin éditeur, 1970.

Tuez le veau gras, théâtre, Montréal, Leméac, 1970.

L'Outaragasipi, roman, Montréal, L'Actuelle, 1971.

C'est toujours la même histoire, théâtre, Montréal, Leméac, 1972.

La Petite Patrie, récit, Montréal, La Presse, 1972.

Pointe-Calumet boogie-woogie, récit, Montréal, La Presse, 1973.

Sainte-Adèle-la-vaisselle, récit, Montréal, La Presse, 1974.

Danielle! ça va marcher!, reportage, Montréal, Stanké, 1976.

Feu à volonté, recueil d'articles, Montréal, Leméac, 1976.

Le Loup de Brunswick City, roman, Montréal, Leméac, 1976.

Revoir Éthel, roman, Montréal, Stanké, 1976.

Feu sur la télévision, recueil d'articles, Montréal, Leméac, 1977.

La Sablière, roman, Montréal/Paris, Leméac/Robert Laffont, 1979.

Le Veau d'or, théâtre, Montréal, Leméac, 1979.

Les Contes du sommet bleu, contes, Montréal, Quebecor, 1980.

L'Armoire de Pantagruel, roman, Montréal, Leméac, 1982.

Maman-Paris, Maman-la-France, roman, Montréal, Leméac, 1982.

Deux mâts, une galère, mémoires, Montréal, Leméac, 1983.

Le Crucifié du sommet bleu, roman, Montréal, Leméac, 1984.

L'État-maquereau, l'État-maffia, essai, Montréal, Leméac, 1984.

Des cons qui s'adorent, roman, Montréal, Leméac, 1985.

Une duchesse à Ogunquit, roman, Montréal, Leméac, 1985.

Alice vous fait dire bonsoir, roman, Montréal, Leméac, 1986.

Safari au centre-ville, roman, Montréal, Leméac, 1987.

Une saison en studio, récit, Montréal, Guérin littérature, 1987.

Pour tout vous dire, journal, Montréal, Guérin littérature, 1988.

Pour ne rien vous cacher, journal, Montréal, Leméac, 1989.

Le Gamin, roman, Montréal, l'Hexagone, 1990.

Comme un fou, récit, Montréal, l'Hexagone, 1992.

La Vie suspendue, récit, Montréal, Leméac, 1994.

Un été trop court, journal, Montréal, Quebecor, 1995.

La nuit, tous les singes sont gris, roman, Montréal, Quebecor, 1996.

Pâques à Miami, roman, Outremont, Lanctôt éditeur, 1996.

L'Homme de Germaine, roman, Outremont, Lanctôt éditeur, 1997.

Albina et Angela : la mort, l'amour, la vie dans la Petite Patrie, poèmes, Outremont, Lanctôt éditeur, 1998.

Le Patriarche bleu : Duplessis, biografiction, Outremont, Lanctôt éditeur, 1999.

Papa Papinachois, roman, Outremont, Lanctôt éditeur, 1999.

Enfant de Villeray, récit, Outremont, Lanctôt éditeur, 2000.

Je vous dis merci, récits, Montréal, Alain Stanké, 2001.

Pour l'argent et la gloire, Trois-Pistoles, Éditions Trois-Pistoles, 2002.

À cœur de jour, journal, Trois-Pistoles, Éditions Trois-Pistoles, 2002.

Écrivain chassant aussi le bébé écureuil, journal, Trois-Pistoles, Éditions Trois-Pistoles, 2003.

La Petite Patrie en images, récits et dessins, Vallée-Jonction (Québec), Éditions du Lilas, 2003.

La mort proche, journal, Trois-Pistoles, Éditions Trois-Pistoles, 2003.

Rachel étourdissante, roman, Trois-Pistoles, Éditions Trois-Pistoles, 2004.

TABLE

Cet ouvrage composé en Sabon corps 10
a été achevé d'imprimer
en octobre deux mille quatre
sur les presses de Transcontinental
pour le compte des
Éditions Typo.

Imprimé au Québec (Canada)